WONDEREN VAN STEENTJES

WONDEREN VAN STEENTJES

NATUUR- EN WERELDWONDEREN VAN LEGO®

WARREN ELSMORE

Librero

Oorspronkelijke titel: *Brick Wonders*

© 2014 Librero b.v. (Nederlandstalige editie),
Postbus 72, 5330 AB Kerkdriel
WWW.LIBRERO.NL

© 2014 Quintet Publishing Ltd
Foto's: Michael Wolchover (tenzij anders
vermeld)
Lay-out: Gareth Butterworth
Artdirector: Michael Charles
Projectredactie: Caroline Elliker
Redactieassistenten: Ella Lines, Alice Sambrook
Hoofdredactie: Emma Bastow
Oorspronkelijke uitgever: Mark Searle

Productie Nederlandstalige editie:
Vitataal, Feerwerd
Vertaling: Paulina de Nijs/Vitataal
Opmaak: Elixyz Desk Top Publishing, Groningen

Printed in China

ISBN: 978-90-8998-447-0

INHOUD

INLEIDING

ANTIEKE WERELDWONDEREN

HISTORISCHE WERELDWONDEREN

MODERNE WERELDWONDEREN

NATUURWONDEREN

DE WONDEREN VAN LEGO

Als legofan ben ik naar talloze shows, bijeenkomsten en exposities geweest. Ik denk dat ik wel zo'n beetje alles in LEGO® heb gezien, van kastelen tot jachthavens en van ruimteschepen tot draken. Dus toen ik de kans kreeg om een vervolg te schrijven op *Steden van steentjes*, was het voor mij logisch om flink uit te pakken en iets te doen met duizenden jaren geschiedenis en alle continenten van onze planeet. Dan kunnen we pas echt de *Wonderen van steentjes* laten zien.

De oorspronkelijke lijst van de zeven wereldwonderen van de antieke wereld zou rond 450 v.C. zijn samengesteld door de historicus Herodotus. Destijds bevatte de lijst zes van de nu erkende zeven wereldwonderen. De Vuurtoren van Alexandrië was nog niet gebouwd en als zevende werd de Isjtarpoort in Babylon erbij gerekend. Het getal zeven moet belangrijk zijn geweest, aangezien de Isjtarpoort in de middeleeuwen werd vervangen door de Vuurtoren van Alexandrië, zodat de groep ontstond die we nu nog kennen.

Natuurlijk zijn deze antieke wereldwonderen alleen die van de antieke oudheid. Het bijzondere is wel dat ze allemaal Europees waren. Er waren immers nog geen geschreven bronnen over beide Amerika's, het Verre Oosten en Australazië. Dus besloot ik naast de zeven antieke wereldwonderen in dit boek ook een aantal moderne (en ook nog wat meer oude) wereldwonderen op te nemen.

In het eerste deel van dit boek laat ik de zeven antieke wereldwonderen herleven in mijn favoriete medium: legosteentjes. Van elk wereldwonder zie je de grootsheid en verhoudingen en ik heb van bepaalde onderdelen gedetailleerde instructies toegevoegd zodat je er thuis mee aan de slag kunt. De meeste van deze antieke wonderen bestaan natuurlijk niet meer en sommige zijn helemaal verdwenen. Ik heb dus soms moeten raden naar hoe bepaalde gebouwen eruit hebben gezien.

In het volgende deel van dit boek verkennen we delen van de wereld die nog niet bekend waren bij de antieke wetenschappers. Ik heb zeven wereldwonderen uit de geschiedenis gekozen die zich in Zuid-Amerika, China, het Midden-Oosten en middeleeuws Londen bevinden. Bij deze wonderen heeft menselijk handelen op unieke plaatsen geleid tot indrukwekkende staaltjes van bouwkunst en vormgeving.

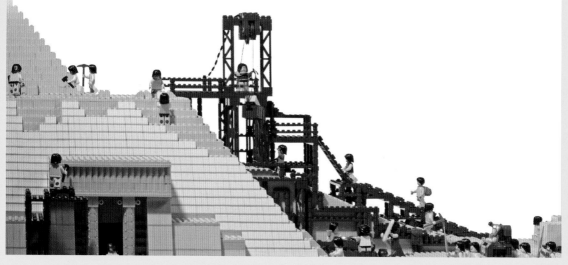

In het derde deel van dit boek zijn we bij het heden aanbeland en kijken we naar moderne wereldwonderen – zeven uitvindingen die de wereld hebben veranderd. Deze zeven wonderen hebben onze wereld opnieuw gevormd en onze hedendaagse levensstijl mogelijk gemaakt, van internet tot media en van transport tot geneeskunde. We verlaten de aarde zelfs even als het Internationaal Ruimtestation voorbijvliegt.

In het laatste deel van het boek kijk ik naar zeven wonderen die alle andere hebben overleefd: mijn natuurwonderen van de wereld. In dit deel gaan we naar de verste uithoeken van onze planeet. Het Great Barrier Reef in Australië zit vol leven, evenals de savanne van Afrika. Het laatste deel neemt ons ook mee naar het laatste continent, Antarctica, waar we kijken naar de Aurora Australis.

Ik hoop dat je geniet van dit boek, of je nu besluit enkele van de voorbeelden na te bouwen of alleen maar naar de afbeeldingen kijkt. En onthoud één ding: je hoeft je geen zorgen te maken als je je eigen wereldwonderen wilt bouwen, maar niet dezelfde steentjes hebt als ik. Volg je hart en je fantasie, dan kan er niets fout gaan bij het bouwen van je eigen wereldwonder.

– Warren Elsmore

HET VERHAAL VAN LEGO®

Het verhaal begint in 1916, als Ole Kirk Christiansen in Billund, Denemarken, een houtbewerkingszaakje opent, waar hij houten poppen en meubels maakt. In de jaren dertig geeft hij zijn bedrijf de naam LEGO, een afkorting van de Deense woorden voor 'goed spelen' oftewel 'speelgoed'. Het bedrijf gaat in 1947 van hout over op plastic en in 1949 start het met de productie van plastic, in elkaar passende bouwstenen: de Automatic Binding Bricks.

Deze eerste steentjes leken nog niet op de blokjes die wij nu kennen, maar in 1954 realiseerde Godtfred, de zoon van Ole Kirk, zich dat door bijvoorbeeld deuren en ramen toe te voegen, de creatieve mogelijkheden van legostenen (zoals ze vanaf 1953 werden genoemd) eindeloos zouden zijn. Toch duurde het nog even voordat legostenen de corebusiness van het bedrijf werden. In 1958 werd er octrooi voor de steentjes aangevraagd; de stenen uit die periode kunnen nog steeds concurreren met de blokjes die we nu kopen. De belangrijkste uitvinding was dat de eenmaal in elkaar geklikte blokjes ook op hun plek bleven zitten. In dat jaar overleed Ole Kirk en nam zijn zoon Godtfred de zaak over.

In 1960 ging de afdeling houten speelgoed in vlammen op en werd de productie ervan gestopt. Het bedrijf, met inmiddels meer dan vierhonderd werknemers, stond op het punt zijn intrede te doen in de Verenigde Staten, Canada en Italië. Binnen enkele jaren vestigde het zich in een groot aantal steden en landen, waaronder Finland, Nederland, Hongkong, Australië, Marokko en Japan. De lego-invasie was begonnen.

Tegen 1966 werd LEGO® in 42 landen verkocht en werd de eerste legotrein (die liep op een motortje van 4,5 volt) geïntroduceerd. In hetzelfde jaar werd in het Deense Billund het eerste LEGOLAND-park geopend, dat op de eerste dag al 3000 bezoekers trok.

Sindsdien zijn er aan de lopende band legosets met zeer uiteenlopende thema's verschenen, van ruimtevaartuigen tot piratenschepen, en zijn er heel veel technische elementen aan toegevoegd, zoals motortjes, magneten en sensoren. LEGO® DUPLO® – grotere steentjes geschikt voor jongere kinderen – kwam in 1977 op de markt en het jaar daarop volgden de minifiguren (de 'minifigs').

LEGO heeft veel mensen geïnspireerd tot het ontwerpen van buitengewone kunstwerken en veel legobouwers gestimuleerd, zo veel dat maar weinig 'legorecords' lang standhouden. Het enige wat vanaf het begin staat, is het grootste legobouwwerk ter wereld, namelijk het beeld van het indiaanse stamhoofd Sitting Bull in LEGOLAND, Denemarken, dat bijna 7,5 meter hoog is en uit 1,5 miljoen stenen bestaat. Op het moment van schrijven is de hoogste legotoren 32,5 meter, gebouwd door de Red Clay Consolidated School in Wilmington.

Ik ben er trots op ook een record op mijn naam te hebben staan. Tijdens mijn legoshow in 2012 werd het grootste mozaïek ter wereld gebouwd. Het was 472 vierkante meter en dat betekent dat ik de gelukkige eigenaar ben van een Guinness World Recordcertificaat. Het record is sindsdien echter al minstens twee keer verbroken. De toewijding en het enthousiasme van legobouwers is zo groot dat deze records meestal geen lang leven beschoren zijn.

De Chinese Muur werd gebouwd door een reeks oude Chinese keizers. Zie blz. 86-89 voor het model.

Legosteentjes kopen

Zo vind je de benodigde stenen

Echte architectuur nabouwen is natuurlijk heel wat serieuzer dan het in elkaar zetten van de kant-en-klare legosets. Voor de modellen in dit boek worden vaak dezelfde patronen gebruikt, of enorme aantallen van dezelfde soort steentjes. En dan komt handigheid in het kopen van LEGO® van pas.

Mijn eerste advies: verzamel alle stukjes LEGO die je al hebt. Er is vast nog wel wat te vinden op zolder, in de kelder of misschien in je ouderlijk huis. Kijk vervolgens of er steentjes tussen zitten die je nu of later nodig zou kunnen hebben. Als je een bepaald steentje niet kunt vinden, bijvoorbeeld een steen van 2×4, kun je voor een alternatief zorgen, zoals twee steentjes van 2×2. Grote kans dat je de meeste steentjes die je nodig hebt zult vinden, en als je genoegen neemt met een licht kleurverschil, ben je al een heel eind.

Maar natuurlijk zijn er ook modellen waarvoor absoluut de juiste kleuren of stenen nodig zijn. De Chinese Muur op blz. 86 ziet er prachtig uit in beige en ook wit is nog wel oké, maar de impact gaat verloren als de voorgevel uit twaalf kleuren bestaat. Dus waar haalt een echte vakman zijn stenen vandaan?

In LEGOLAND®-parken of officiële winkels zijn tegenwoordig speciale Pick a Brick-afdelingen. Dit zijn 'muren' met een heel lego-assortiment waar je losse onderdelen kunt krijgen. Hier koop je steentjes per gewicht. Je vult je zakje of mandje met onderdelen en rekent af per gewicht of per zakje. Maar ook in sommige speelgoedzaken kun je terecht voor losse elementen.

Is er geen legowinkel bij je in de buurt en woon je ook niet naast een LEGOLAND-park, dan kun je naar Pick a Brick online. Via de website *lego.com* is LEGO verkrijgbaar (op de site kun je het land waar je vandaan komt aanklikken). Er wordt in landen over de hele wereld geleverd. Je betaalt per deeltje; bepaal dus precies wat je nodig hebt voordat je een bestelling plaatst.

Het overgrote deel van de modellen in dit boek is zo ontworpen dat je ze met onderdelen kunt maken die of via internet of in de winkel te krijgen zijn. Maar soms is een specifiek stukje nodig en hoewel alle onderdelen gemaakt zijn door LEGO, worden ze niet allemaal meer geproduceerd. In dat geval kun je op sites terecht waar lego wordt verkocht of geruild, zoals *bricklink.com*, het geesteskind van een enthousiaste jonge legofan, Dan Jezek (die helaas niet meer leeft). Hier (ver)kopen duizenden handelaren over de hele wereld hun legosteentjes. Wél heb je bij de meeste verkopers een PayPal-account nodig (dat is trouwens sowieso aan te raden, want dan kun je veilig online betalen). Kijk ook goed waar de LEGO vandaan moet komen, want misschien heb je goedkope LEGO gekocht, maar komen daar nog hoge verzendkosten of invoerrechten bovenop. Let op je portemonnee, want zodra je het gemak van online kopen hebt ervaren, kan het al snel een dure zaak worden. Voor losse lego-onderdelen kun je in Nederland en België ook terecht op speciale websites, zoals *brickshop.nl*, *wereldstenen.nl* en *brickplaza.nl*.

TIPS VOOR HET BOUWEN MET LEGO®

Het zal je misschien opvallen als je dit boek door-
bladert dat de legomodellen niet lijken op de
ontwerpen die je in de speelgoedwinkel ziet. Daar
is een reden voor. De eerste vraag die mensen mij
meestal stellen is: bestaat dat hele werk echt alleen
maar uit LEGO? En het antwoord daarop is altijd: ja!
Elk model dat je hier ziet, is voor honderd procent
van legoblokjes gemaakt. Maar de manier waarop
de blokjes zijn gestapeld, kan behoorlijk verschillen
van de manier die jij gewend bent.

De meeste modellen in dit boek zijn gebouwd met
de noppen naar boven – elk steentje wordt op het
steentje eronder gestapeld – maar enkele niet. Om
te begrijpen waarom niet, moeten we terug naar de
schoolbanken.

Er zijn twee basisstukjes van LEGO, waarvan bijna alle
andere elementen zijn afgeleid: steentjes en plaatjes.
Eén legosteentje is net zo hoog als drie legoplaatjes
op elkaar. Plaatjes geven modellen een zekere stevig-
heid (ze zijn bijvoorbeeld bij uitstek geschikt voor
vloeren). Bovendien is er met plaatjes meer variatie
in kleur mogelijk (met drie plaatjes van verschillende
kleuren op elkaar heb je één heel kleurrijk steentje).
Kleinere onderdelen betekenen nauwkeurigere ontwerpen en daarom gebruik ik voor veel modellen in
dit boek plaatjes in plaats van steentjes. Een gekleurde
streep kan eenvoudig worden gecreëerd door drie
plaatjes in contrasterende kleuren te gebruiken (zie
onder).

Je kunt modellen echter niet alleen van plaatjes
maken. Wolkenkrabbers en voertuigen met rechte
vlakken gaan nog, maar wat doe je met gebogen
oppervlakken, dunne uitstekende delen en staal-
constructies? Hoe maken we die van LEGO?
Gelukkig zijn er allerlei andere blokjes die we kunnen
gebruiken; er zijn wel duizenden soorten van soms
al meer dan vijftig jaar oud. Daken kunnen worden
gemaakt van speciale dakpansteentjes en voor stalen
pijlers zoeken we bij de onderdelen van LEGO
Technic. Je zult in de instructies nog veel meer
voorbeelden zien. Door de juiste onderdelen te
kiezen kun je een model vaak in verrassend weinig
onderdelen bouwen.

Er is nog een andere belangrijke techniek die legofans
toepassen om blokjes op elkaar te plaatsen. Deze
manier heet SNOT ('studs not on top' oftewel
'noppen niet naar boven'). Bij deze methode plaats
je blokjes of plaatjes op hun zij, waardoor tal van
constructies mogelijk worden.

SNOT is gebaseerd op een eenvoudig geometrisch
principe: een legosteentje is drie keer zo hoog als een
legoplaatje en het is ook tweeënhalf keer zo breed
als het plaatje hoog is. Dat wil zeggen dat twee
steentjes gelijk zijn aan vijf plaatjes (zie hieronder).

Door plaatjes te gebruiken en SNOT toe te passen wordt de precisie waarmee we kunnen bouwen in alle richtingen drie keer zo groot. Hierdoor ontstaan nog meer interessante mogelijkheden. Misschien moet een cirkel gemaakt worden die niet te maken is met bestaande lego-onderdelen? Het zou wel mogelijk zijn om een ronding te maken met plaatjes en daarmee zou je een deel van de cirkel kunnen maken. Het wordt echter lastig als de ronding hoger wordt. Als we de helft van de plaatjes zijwaarts draaien lukt het echter wel en wordt het model veel preciezer.

Om de zijwaarts geplaatste elementen op hun plaats te houden, hebben we wat speciale onderdelen nodig die elementen aan een, twee of vier kanten van een blokje kunnen vasthouden. Gelukkig bestaan deze onderdelen. Met een combinatie van blokjes en plaatjes en het gebruik van dakpanstenen, scharnieren, bogen en natuurlijk SNOT kunnen we alle modellen uit dit boek maken.

Een ronding maken zonder SNOT

Een ronding maken met SNOT

Ontwerpen met CAD

Het maakt niet uit hoeveel legosteentjes je hebt, je hebt er nooit genoeg. Hoe bouw je je favoriete model als je niet alle benodigde steentjes hebt? Voor het ontwerpen van de modellen voor dit boek heb ik LEGO® CAD-software gebruikt.

Met CAD (Computer-Aided Design) kun je modellen ontwerpen en bouwen met virtuele legosteentjes. Je hebt een oneindige hoeveelheid stenen in allerlei kleuren tot je beschikking, zodat niets je nog kan tegenhouden om het ultieme ontwerp te maken. Er zijn twee goede CAD-programma's voor LEGO en ze zijn allebei gratis!

LEGO Digital Designer (LDD) (ldd.lego.com) kan worden gedownload van de LEGO-site en is verkrijgbaar voor zowel Apple als pc. Nadat je het programma hebt geïnstalleerd, downloadt het een volledige lijst van alle (actuele) verkrijgbare lego-steentjes. Dit kan wel even duren, aangezien er heel veel steentjes zijn om uit te kiezen.

De nieuwere versies van LEGO Digital Designer bevatten nu een standaard, of 'extended mode'. De standaardsetting laat je alleen bouwen met blokjes in bestaande kleuren, terwijl de 'extended mode' deze beperking niet kent en je laat bouwen met een enorm scala aan blokjes.

Een van de echte voordelen van LDD is dat je er een creatie mee kunt maken die ook in de echte wereld mogelijk is; de steentjes worden automatisch samengevoegd als je ze plaatst. Als je klaar bent, kan LDD online instructies maken voor het te bouwen model; ga naar 'Building Guide Mode' en volg de stappen.

Het LDraw-systeem (www.ldraw.org) is het tweede LEGO CAD-systeem. LDraw was er al voor het LDD-programma en is niet geschreven door LEGO. Het is gemaakt en wordt onderhouden door de legogemeenschap. Door fans zoals jij en ik.

Als LEGO dus gratis software maakt, waarom zou je dan iets anders gebruiken? Voor mij heeft LDraw enkele belangrijke voordelen. Allereerst is bijna elk onderdeel dat ooit gemaakt is, beschikbaar in het LDraw-systeem. Dat is een veel langere lijst dan die

Verschillende screenshots van LEGO CAD-ontwerpen die in dit boek zijn gebruikt.

in LDD en soms werkt een ouder onderdeel perfect in een element van een bepaald model. Elk onderdeel is minutieus nagetekend op basis van zijn fysieke onderdelen.

Ten tweede is het LDraw-systeem veel flexibeler dan LEGO® Digital Designer. De tool die ik bijvoorbeeld gebruik – Bricksmith – laat je modellen ontwerpen die niet echt mogelijk zouden zijn in de echte wereld. Als ik een model ontwerp, gebruik ik soms alleen 1x1-steentjes om de algehele vorm aan te geven. Als ik dat in het echt zou doen, zou het model direct uit elkaar vallen, maar als ik op de computer ontwerp hoef ik daar niet bang voor te zijn. Je kunt veel sneller werken als je je geen zorgen hoeft te maken over of een model wel overeind blijft staan.

Als je een grotere constructie bouwt, is het ook handig om dingen te doen die in het echt niet zouden kunnen, zodat je je ontwerp kunt verfijnen. Door twee steentjes in dezelfde ruimte te plaatsen, kan ik ze verschuiven zonder me zorgen te hoeven maken over de noppen. Het is ook heel gemakkelijk om twee 1x4-steentjes te vervangen door een 1x8-steentje

– zonder dat je je zorgen hoeft te maken over de stenen erboven of eronder.

Er zit natuurlijk ook een nadeel aan deze flexibiliteit. Met het LDraw-systeem moet je zelf bedenken hoe je het model moet opbouwen zodat het in elkaar blijft zitten en vervolgens moet je je eigen instructies schrijven. Voor mij wegen de voordelen toch op tegen de nadelen en ik heb voor alle modellen in dit boek dan ook LDraw gebruikt.

Het LDraw-systeem heeft tal van tools die je kunt gebruiken voor het maken van modellen en instructies. Hoewel elke tool iets anders werkt, putten ze allemaal uit dezelfde onderdelenlijst. Voor dit boek heb ik gebruikgemaakt van het Bricksmith-programma voor de Mac om de modellen te maken en het LPub-programma om de instructies te maken. Ik ben iedereen die heeft meegewerkt aan deze software en alle betrokkenen bij *LDraw.org* enorm dankbaar.

FREESTYLE BOUWEN

FREESTYLE BOUWEN MET LEGO®, ZONDER HANDLEIDING

Freestyle of vrij bouwen is een beetje als vrij klimmen: er is geen vangnet. De meeste modellen in dit boek zijn geen 'vrije' ontwerpen, omdat ze zo nauwkeurig mogelijk en volgens de instructies gemaakt moeten worden. Maar vrij bouwen is wel de manier waarop de meeste mensen met LEGO bezig zijn en er plezier aan beleven. Het geeft je de kans om je fantasie te gebruiken en gebruik te maken van je verborgen creatieve talenten. Het is heel gemakkelijk om een idee te bedenken voor een model van een willekeurige reeks blokjes. Probeer het zelf maar.

Alles kan 'vrij gebouwd' worden. Een kind bouwt een ruimteschip van de blokjes die het tot zijn beschikking heeft en gelooft dat het echt is. Maar als we ouder worden, krijgen we vastomlijnde ideeën over hoe een ruimteschip eruit moet zien en bedenken we al van tevoren of het raketten heeft of een gestroomlijnde cockpit. Je kunt plezier beleven aan vrij bouwen als je deze strenge en specifieke benadering en behoefte aan exactheid probeert los te laten. Laat je fantasie de vrije loop!

Ik heb een goede tip om jezelf eens uit te dagen vrij te gaan bouwen. Ga voor je volgende etentje met volwassen vrienden eens naar de speelgoedwinkel en koop voor elke gast een legosetje. Kies bijvoorbeeld iets van LEGO Creator, want daar zitten veel onderdelen in en de doosjes zijn niet zo duur. Vraag iedereen zomaar iets te bouwen met de onderdelen uit zijn of haar doosje. Je kunt een thema kiezen (een ruimteschip of een robot, huis of auto) en kijk wat er gebeurt. Je zult er versteld van staan wat jij en je vrienden tevoorschijn toveren – ook al is jullie kindertijd al tientallen jaren geleden.

Gebruik je fantasie om een stapel willekeurige blokjes te veranderen in een prachtige creatie.

Instructies

Een vraag die me vaak gesteld wordt, is of alle modellen instructies hebben. Veel van de modellen in dit boek hebben instructies, maar een groot aantal ook niet. Als je weet waarom ik niet bij elk model instructies maak, begrijp je misschien ook het proces erachter.

Om instructies te maken voor de modellen in dit boek bouwde ik het model eerst in het LDraw CAD-systeem. Met LDraw kan ik instructies maken die even accuraat zijn als die in een officiële legoset. De afbeeldingen worden elektronisch gegenereerd, zodat ze er steeds hetzelfde uitzien en de kleuren gemakkelijk te onderscheiden zijn.

Sommige modellen zijn echter erg moeilijk te maken met CAD-software. Als een model gebogen vlakken of scharnieren heeft, is het heel eenvoudig om te zien of de blokjes verbonden zijn als je een model met echte steentjes bouwt. Ze hechten aan elkaar, of niet. Omdat de CAD-software het mogelijk maakt dat blokjes elkaar overlappen, is het veel moeilijker om te zien of ze hechten. De Vuurtoren van Alexandrië op blz. 80 zou bijvoorbeeld heel moeilijk te maken zijn in CAD omdat het veel scharnierende delen bevat.

Bij sommige modellen ontstaan ook problemen met de schaal. Hoewel het bijvoorbeeld mogelijk zou zijn om het containerschip in het Panamakanaal op blz. 146 in CAD te ontwerpen, zou de hoeveelheid instructies enorm zijn. Bij modellen waarvoor tienduizenden steentjes nodig zijn, zouden de instructies de omvang van dit boek hebben. Door de instructies voor deze modellen weg te laten, hebben we meer ruimte voor andere modellen.

Heb ik eenmaal een CAD-model ontworpen, dan is het tijd om na te denken over hoe het model gebouwd moet worden. De software die ik gebruik, maakt niet automatisch elke stap van de instructies en dus moet ik beslissen hoeveel fases een model moet hebben en welke steentjes in welke fase moeten worden toegevoegd. Deze stap in het proces is behoorlijk lastig. Ik wil de instructies niet te moeilijk maken, maar ze mogen ook niet te lang worden. In veel van mijn modellen worden bepaalde onderdelen op een vreemde manier vastgezet of pas in een veel later stadium verbonden met andere onderdelen. Hierdoor ontstaat meer complexiteit.

Als ik de stappen voor de instructies eenmaal bepaald heb, gebruik ik het LPub-programma om deze stappen uit te werken tot afzonderlijke afbeeldingen. LPub creëert ook automatisch een lijst van onderdelen die je in elke stap nodig hebt. Elke set aan instructies moet een beetje aangepast worden, zodat hij gemakkelijk leesbaar is en daarna is het jouw beurt.

Als het model dat je wilt bouwen geen instructies heeft, hoef je je echter geen zorgen te maken. Er bestaat geen 'goede' of 'foute' manier om een lego-model te maken. Het gaat erom dat je een model hebt waar je trots op bent. Onthoud dat LEGO® speelgoed is en dat je er altijd lol aan moet beleven.

LEGOSTEENTJES BENOEMEN

HOE NOEM JE DIT ONDERDEEL?

Ik zou dit een 2x4-steentje noemen, maar misschien is
het een 4x2-steentje? Of een 'achtje' of een 'rechte'?
Wist je dat alle onderdelen van LEGO® officiële namen
hebben? Als je onderdelen koopt om enkele van de
modellen te bouwen uit dit boek dan is het handig om
te weten wat de namen zijn.

Er zijn twee namenlijsten voor de lego-onderdelen. De
eerste is natuurlijk afkomstig van de LEGO-groep, die
een naam heeft voor elk blokje dat wordt geproduceerd.

De tweede wordt gebruikt door de volwassen fans van
LEGO die gebruikmaken van LDraw en BrickLink.

De namenlijst van LEGO is vrij eenvoudig, op enkele
uitzonderingen na. De basiseenheid is natuurlijk een
steentje of blokje, zoals dit 1x1-steentje links.

Van daaruit verwijzen de namen altijd eerst naar de
korte kant. Er zijn dus 1x1-, 1x2-, 1x3- en 1x4-steentjes.

Natuurlijk zou je het langere steentje een 'viertje' kunnen noemen. Maar hoe maak je dan het onderscheid tussen deze steentjes? Ze hebben allemaal vier noppen.

De meeste legofans maken gebruik van dezelfde namen omdat het dan eenvoudiger is om elkaar te vragen naar een rond 2×2-steentje of 1×4-steentjes. Door allemaal dezelfde namen te gebruiken weten we dat we het over dezelfde onderdelen hebben. Als je je blokjes eenmaal op orde hebt, is het tijd om over te gaan op 'plaatjes', 'tegels' en 'dakpannen'. Ook hier geldt dezelfde naamstructuur en nu heb je de vier basisonderdelen die LEGO® produceert.

Natuurlijk worden er nog talloze andere onderdelen gemaakt, waarvan er veel zeer specialistisch zijn en helemaal niet op steentjes lijken. Ik gebruik daarom de term 'onderdelen' als ik het over legostukjes heb, ongeacht de vorm, vooral als het om speciale elementen gaat. Dit is bijvoorbeeld een 1×1-steentje met één nop.

Legosteentjes benoemen

Omdat de LEGO®-groep een Deens bedrijf is, worden in de officiële benamingen vaak vertalingen van Deense woorden gebruikt. Hier zien we ook de verschillen tussen de namen die de fans gebruiken en die van LEGO zelf. Dit komt deels door de grote invloed van Amerikaanse fans en omdat Engels de algemene voertaal is op internet. In het Engels wordt het uitstekende deel een 'stud' genoemd in plaats van 'knob', dat de vertaling is van het Deense 'knop' (onze 'nop'). Het wordt nog ingewikkelder als je het hebt over gebogen steentjes.

Welke naam is nou de juiste? Hoewel de legonaam de officiële is, betekent dat niet dat andere namen verkeerd zijn. Het steentje links is bijvoorbeeld een 1x2-palissadesteentje.

Maar vraag een fan naar een palissadesteentje en hij heeft geen idee waar je het over hebt. Voor fans is dit een 1x2-stamsteentje en dan zie je wat het probleem is. De kans is groot dat jij, net als ik, steentjes bestelt bij zowel LEGO als BrickLink of koopt van andere fans. Er zit niets anders op dan beide namen te kennen. Vooral bij steentjes zoals deze hier rechts die zowel 'steentje 2x1x1&⅓ met gebogen top' als 'steentje met boog 1x1x⅓' heet.

1x4 boogsteentje óf steentje met boog 1x4 en 1x4 gebogen helling óf steentje met boog 1x4.

BOUWEN VOOR STEVIGHEID

Als je zelf een bouwwerk van LEGO® gaat maken, moet je je constructie zo stevig maken dat hij overeind blijft staan. Misschien geen duizend jaar, maar in elk geval lang genoeg om aan je vrienden te laten zien.

Het lijkt wellicht een goed idee om je model helemaal op te vullen, maar dat is een techniek die ik nauwelijks gebruik en jij misschien ook niet. Je model helemaal opvullen is heel kostbaar, zowel qua tijd als qua steentjes. Maar er doet zich ook een ander probleem voor: een helemaal solide model is heel zwaar en heeft de neiging te scheuren. Omdat er geen flexibiliteit in zit, kan het model gemakkelijk breken. Hoe bouw je dan wel een stevig model?

De eerste techniek voor een stevig model is heel eenvoudig. Laat je blokjes waar mogelijk overlappen. Een stapel 1x2-steentjes naast elkaar is niet echt sterk, maar als je ze zoals echte bakstenen overlapt, dan zullen ze veel sterker zijn.

Als je een landschap of groter model bouwt, heb je misschien wat ondersteuning nodig om een dak of vloer hoog te houden. Ook nu bespaart het tijd en gewicht als je de blokjes laat overlappen. Als je ze op het dak goed met elkaar verbindt, creëer je een sterk en licht raster dat goed te verplaatsen is.

Een tip die in eerste instantie niet zo logisch lijkt, is dat je niet alle noppen van een groot gebouw met elkaar hoeft te verbinden, of in elk geval niet op een bepaalde manier. Je zou denken dat twee grote platen op elkaar een sterke basis vormen, maar naarmate het formaat groter wordt, zal dit steeds minder het geval zijn. Probeer maar eens twee 16x16-platen op elkaar te bevestigen. Het probleem is dat je nooit alle noppen goed op elkaar kunt drukken. De noppen in het midden buigen omdat er lucht tussen zit.

Om een echt stevige basis te maken kun je een sandwich maken van plaatjes en steentjes. Maak een laag plaatjes, druk daar overlappende steentjes op

(1x16-steentjes zijn heel geschikt) en vervolgens weer een laag plaatjes. Zo ontstaat een sterk oppervlak dat niet vervormt.

Als je wereldwonder echt heel groot is, vraag je je vast af hoe je het moet verplaatsen. Grote modellen zijn geweldig, maar ze moeten altijd een keer verplaatst worden. Kijk daarvoor naar de grotere modellen die zijn gemaakt door de LEGO®-groep: de modulaire gebouwen. Dit zijn gebouwen van drie of vier verdiepingen die eenvoudig uit elkaar gehaald kunnen worden.

De truc is om in lagen te bouwen en elke laag te verbinden met een haakje van tegels of het nieuwe 1x4-plaatje met 2 noppen. Ze hebben een groot hechtingsvermogen voor de steentjes eronder ('hechtkracht' in legotermen), maar minder hechtingsvermogen voor de steentjes erboven. Dit wordt een punt waarop je je model eenvoudig uit elkaar kunt halen.

De Hoover Dam, een van de moderne wereldwonderen (zie blz. 156).

Oefenproject

Voor we aan onze reis door de geschiedenis beginnen, is het handig om weer eens te oefenen met LEGO®. Hoewel ik mijn best heb gedaan om de instructies in dit boek zo duidelijk mogelijk te maken, kunnen sommige technieken nieuw zijn als je al een tijd niet met LEGO hebt gebouwd.

Dit is je kans om te leren. Ik heb van de Gutenberg-pers op blz. 166 een van de losse letters genomen om je te laten zien hoe je de letters kunt opbouwen. Als je de letter 'B' eenmaal onder de knie hebt, kun je de rest ook.

Als je de eerste lagen hebt gebouwd, ontdek je de eerste techniek die ik heb gebruikt. Ik wilde dat mijn letter 'B' gebogen randen had, maar het blokje dat ik gebruikte (2×1×1&⅓ met ronde bovenkant of nr. 6091) is er maar in één variant. Er is een neerwaartse boog, maar geen opwaartse. Om dit op te lossen, moest ik sommige delen van de letter ondersteboven bouwen.

Het volgende verschil dat je mogelijk in de instructie opvalt, is dat ik het model niet als een geheel bouw. In dit model heb ik, net als in veel officiële legomodellen, verschillende 'submodellen' gebouwd. Omdat ik in dit geval veel delen ondersteboven maak, zouden delen uit elkaar zijn gevallen als ik ze in lagen had opgebouwd. Daarom heb ik submodellen gemaakt die je eerst moet opbouwen en vervolgens aan het grote model moet bevestigen. Hierdoor zijn de modellen (hopelijk) makkelijker om te maken.

Ik heb bij deze letter ook nog een andere truc toegepast die je maar zelden ziet in officiële legosets. Er zijn nogal wat onderdelen die nergens anders mee verbonden zijn. Omdat delen van het model ondersteboven zitten, kan ik ze niet door middel van noppen aan elkaar verbinden, zoals bij een gewoon model. Je kunt dit bijvoorbeeld met koplampsteentjes (nr. 4070) doen, zoals je ziet in het twitterlogo op blz. 188. Ik heb hier echter voor een eenvoudige oplossing gekozen en twee onderdelen van het model in elkaar geklemd.

Nu je de letter 'B' hebt gebouwd, is het tijd om de rest van het woord 'BRICK' te bouwen – maar zonder beschrijving. Dat maakt het nou net zo leuk. Hoewel veel van de projecten in dit boek wel instructies hebben, zijn er evenveel die dat niet hebben. Het is aan jou en je fantasie om deze modellen te maken en je eigen wonderen te creëren.

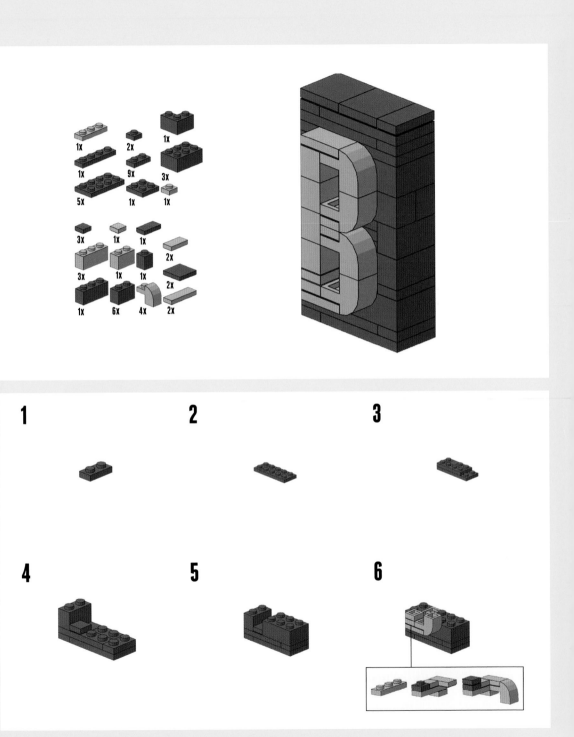

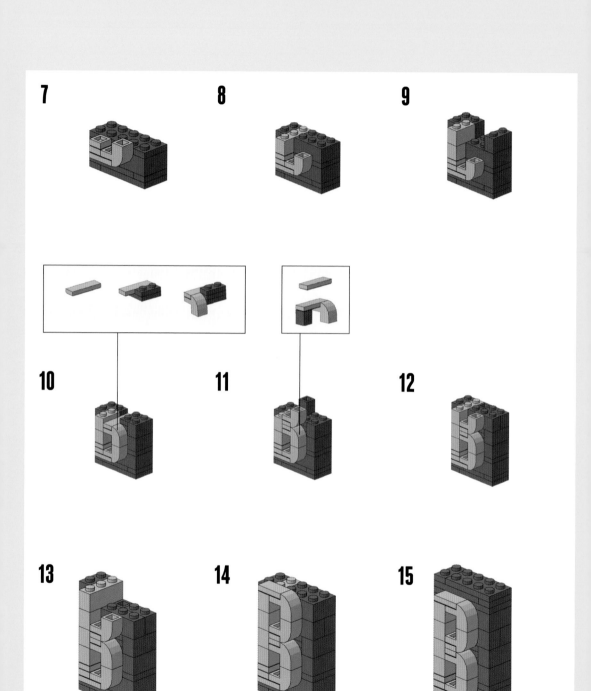

De Gutenberg-
pers op blz. 166
– een wonder
van de moderne
wereld.

MOZAÏEKTECHNIEKEN

Legomozaïeken zijn in beginsel heel simpel en duidelijk. Het aantal kleuren is natuurlijk niet oneindig, maar gelukkig zijn er genoeg om een mooie afbeelding te maken. Het probleem waarop je kunt stuiten, heeft te maken met de keuze van dat wat je uit wilt beelden en hoe je dat het best kunt laten uitkomen met legosteentjes. Hier volgen enkele tips.

De eerste stap is het uitkiezen van een afbeelding. Wil je een mozaïek maken van jezelf, je stripheld of een foto? Neem niet al te ingewikkelde plaatjes, want dat komt het mozaïek meestal niet ten goede. Hoe meer tinten of details een beeld heeft, hoe moeilijker het is om ze om te zetten naar een herkenbaar legomozaïek! Kies dus bij voorkeur een eenvoudige afbeelding met sterke kleuren en opvallende kenmerken of (gelaats)trekken. Ik ga er vanaf nu van uit dat je deze afbeelding op je computer hebt.

Er zijn veel manieren om je afbeelding om te zetten naar een legomozaïek. Eigenlijk is het mozaïek gewoon een versie met lage resolutie van het beeld. Je kunt proberen het beeld op de computer zo aan te passen dat de pixels zichtbaar beginnen te worden, net alsof het al van legosteentjes is gemaakt. Dit werkt echter niet altijd; soms wordt het beeld onherkenbaar of zitten er te veel kleuren in. Dan komt de speciale software voor legomozaïeken van pas.

Er zijn heel veel softwareprogramma's waarmee je een afbeelding verandert in een legomozaïek. Het programma vermindert dan het aantal kleuren en verkleint het beeld. Ik heb Pictobrick (*pictobrick.de*) en Photobrick (*photobricksapp.com*) gebruikt om de mozaïeken in dit boek te maken. Beide zijn vrij eenvoudig in gebruik; ze vragen hoe groot je mozaïek moet worden en geven aan welke methode je kunt gebruiken om het aantal kleuren te verminderen. Als je klaar bent, krijg je informatie over welke steentjes je waar moet plaatsen en kun je de afbeelding kopiëren.

Alles is mogelijk met een legomozaïek. Wereldrecords worden om de haverklap verbroken; er verschijnen regelmatig mozaïeken van meer dan een miljoen steentjes. Dus wat let je…

Het Aurora-Australismozaïek, een van de natuurwonderen, op blz. 198.

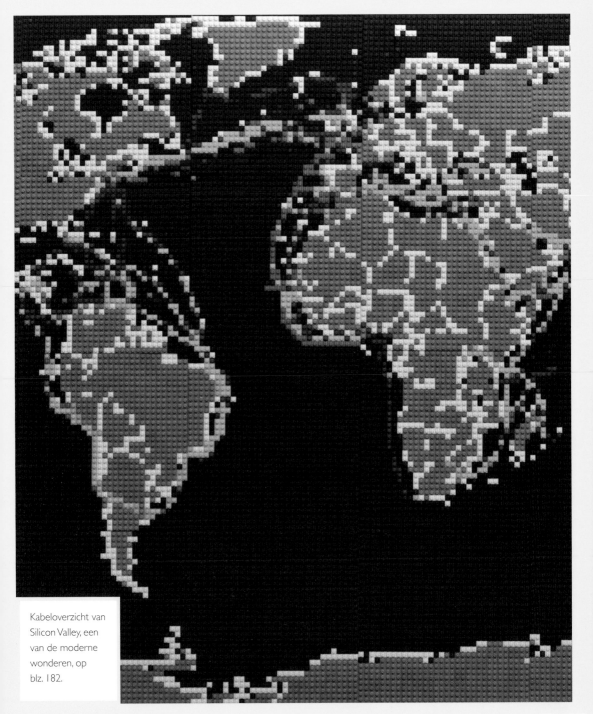

Kabeloverzicht van
Silicon Valley, een
van de moderne
wonderen, op
blz. 182.

Sorteren en bewaren

Er is nog een laatste probleem: het sorteren van de legosteentjes. Heb je een flinke verzameling, dan merk je al snel dat je meer tijd kwijt bent met het vinden van het juiste legoblokje dan met het bouwen van het model. Hoe kun je al die steentjes nou het best sorteren?

Als je maar een paar sets hebt, hoef je je LEGO® helemaal niet te sorteren. Als je niet zoveel blokjes hebt om uit te kiezen, kun je ze het best in een grote doos doen. En zelfs als je een grote verzameling hebt, kan deze aanpak een voordeel zijn. Ik bouw in een atelier, met enorme hoeveelheden steentjes in talloze kleuren, maar maak soms de meest creatieve dingen met slechts een beperkt aantal onderdelen. Of als ik uit een berg willekeurige legosteentjes moet kiezen en me laat inspireren door wat ik tot mijn beschikking heb. Het kan soms helpen om je LEGO niet te sorteren.

Als je legocollectie groeit, zul je er echter voor kiezen om je steentjes te gaan sorteren, zodat je ze gemakkelijker kunt bewaren en gebruiken. Je kunt dat op allerlei manieren doen, maar het meest gebruikelijk is om het op kleur en soorten steentjes te doen. De meeste legofans kiezen er in eerste instantie meestal voor om op kleur te sorteren. Als je een wit huis wilt bouwen, is het uiteraard fijn dat om dat vanuit een doos met witte steentjes te doen.

Sorteren op kleur heeft echter een groot nadeel, namelijk de kleur zwart. Zoeken in een doos met zwarte blokjes is heel lastig, tenzij je heel goede verlichting hebt. Zwarte onderdelen lijken allemaal op elkaar en je vindt nooit het onderdeel dat je nodig hebt. Als je collectie groter wordt, kom je er ook achter dat het niet langer handig is om alleen op kleur te sorteren. Als je een heel grote doos vol blauwe steentjes hebt, hoe vind je dan dat ene blauwe 1x2-steentje met noppen aan weerszijden?

Vanuit het sorteren op kleur, sorteren veel fans op soort. Elk onderdeeltje heeft zijn eigen lade of doos, zodat je een onderdeel gemakkelijk kunt vinden. Als je collectie groeit, realiseer je je dat het misschien niet zo handig is dat elk onderdeel zijn eigen lade heeft want dan zou je tienduizenden lades nodig hebben. Je gaat onderdelen dus groeperen – je doet bijvoorbeeld alle LEGO Technic-onderdelen bij elkaar of alle dakpannen. Dit is de beste methode voor middelgrote verzamelingen.

Als je je gaat begeven op het terrein van 'meester-bouwer' of er net als ik je beroep van maakt, dan moet je de juiste benadering kiezen. In mijn atelier bevinden zich honderdduizenden, waarschijnlijk zelfs miljoenen steentjes. Professionele bouwers kiezen ervoor om zowel op kleur als op soort te sorteren. Zo kun je gemakkelijk het juiste onderdeel vinden, maar ook bijvoorbeeld alle grijze blokjes.

Sorteer je steentjes op kleur of soort in duidelijk gemarkeerde lades.

Elke bouwer gebruikt het systeem dat hij of zij het prettigst vindt. Ik gebruik in mijn atelier zelfs twee systemen.

Als ik een model ga bouwen, is de manier waarop de steentjes met elkaar verbonden worden het allerbelangrijkst. In mijn kantoor zijn de muren bedekt met honderden kleine lades – dezelfde lades die worden gebruikt voor het bewaren van schroeven. In deze lades bewaar ik blokjes op functie en niet op kleur. Daardoor kan ik gemakkelijk controleren hoe twee onderdelen kunnen worden bevestigd. Kleur is nu niet belangrijk omdat ik meestal een prototype maak van een model om te kijken of alles goed werkt.

Als ik echter een groot model bouw, zoals die in dit boek, is het belangrijk om de juiste vorm én kleur te gebruiken. Ik bewaar mijn grote voorraad LEGO op vorm en kleur. Ik sorteer in eerste instantie op kleur; ik heb dus een blauwe sectie, een groene sectie enzovoort. Binnen elke sectie heb ik een aantal lades en daarin zitten de verschillende onderdelen. Om ervoor te zorgen dat de verschillende onderdelen niet door elkaar komen, doe ik ze in afsluitbare zakjes.

Als ik een klein model ga bouwen, heb ik dus alles bij de hand. Als ik een groot model ga bouwen, kan ik de zakjes met onderdelen kiezen die ik nodig heb. Ik kan zelfs hele lades uit mijn kast halen als ik bijvoorbeeld heel veel witte steentjes nodig heb.

Er is wel een probleem: om een goedgesorteerde legoverzameling te hebben moet je de steentjes wel eerst sorteren!

Grotere lades kunnen gebruikt worden voor zakken met verschillende onderdelen.

ONLINE-INFORMATIE

Legofans van alle leeftijden vormen een enorme en levendige community, zowel in het echt als online. Als je dus geïnspireerd raakt door dit boek, ga dan zelf aan de slag.

LEGO® MESSAGEBOARDS

Het eerste contact dat legofans met elkaar hebben is meestal via online-messageboards op *community. LEGO.com*. De messageboards van LEGO zijn hun officiële forums van de LEGO-groep. De messageboards zijn toegankelijk voor iedereen die wil deelnemen, maar omdat ze van het bedrijf LEGO zijn, moet je je eerst registreren. Gelukkig is dat gratis en gemakkelijk te doen.

Het is belangrijk om te weten dat de berichten op de messageboards intensief geredigeerd zijn. Er zit geen leeftijdsbeperking op deze forums en om ervoor te zorgen dat de inhoud veilig is voor iedereen, worden alle berichten eerst gecontroleerd voor ze online worden gezet. Dat betekent echter niet dat er geen levendige discussie en heel veel deelnemers zijn. Terwijl ik dit schrijf zitten er meer dan 50.000 mensen op de messageboards.

ReBrick

ReBrick (*rebrick.LEGO.com*) is het social-mediaplatform van de LEGO-groep. ReBrick is meer gericht op jongeren en volwassenen dan de messageboards. Op ReBrick vind je het enorme scala aan creaties dat legofans uit de hele wereld hebben gemaakt.

Het idee achter ReBrick is niet het opslaan van foto's, video's of links, maar om legofans de mogelijkheid te bieden alle content op één plek op te slaan. Als je weleens Delicious, Pinterest, reddit of Digg hebt gebruikt, dan zal ReBrick je bekend voorkomen. Als je die niet kent dan is ReBrick een geweldige bron aan links naar informatie over LEGO.

LEGO CUSOO

Als je ooit een legoset hebt willen ontwerpen die echt in de winkel verkocht wordt, dan is LEGO CUSOO (*lego.cusoo.com*) de site voor jou. CUSOO is van oorsprong een Japans idee, maar lijkt op de meer bekende Kickstarter en Indiegogo. Het idee achter de site is dat een idee werkelijkheid kan worden als het een breed draagvlak heeft.

LEGO CUSOO maakt het mogelijk om jouw persoonlijke idee op de site te zetten. Je hoeft het idee niet van LEGO te hebben gebouwd en het idee hoeft ook niet al voor honderd procent klaar te zijn. Je hoeft alleen maar een fantastisch idee te hebben dat de aandacht trekt. Als je je idee eenmaal op LEGO CUSOO hebt geplaatst, is het jouw taak om het idee zoveel mogelijk te promoten.

Om van het idee een legoset te maken, moet je 10.000 mensen vinden die jouw idee op de site steunen. Vier keer per jaar bekijkt het CUSOO-team alle projecten die 10.000 stemmen hebben gekregen en beslissen dan van welke een echte legoset gemaakt zal worden. Tot nu toe zijn er vier sets uitgebracht en worden er tal van projecten bekeken of gaan in productie genomen worden. Waar wacht je nog op?

Rebrickable

De LEGO®-groep ondersteunt tal van websites, maar als je eenmaal in de fancommunity terechtkomt, is er nog veel meer informatie beschikbaar. Rebrickable (*rebrickable.com*) is een fansite die als doel heeft het hoofdprobleem op te lossen waarmee alle legobouwers worstelen: heb ik wel genoeg blokjes om dit model te bouwen?

Op Rebrickable staat een reeks creaties met lijsten van alle onderdelen die je nodig hebt om ze te bouwen. Je kunt echter ook een lijst uploaden van de officiële legosets die je in bezit hebt en dan vertelt Rebrickable je welke modellen je kunt bouwen met de steentjes uit die sets.

Rebrickable is een geweldig voorbeeld van een site die verschillende technologische oplossingen van de legofancommunity bij elkaar brengt. Door de 3D CAD-documenten van LDraw te combineren met de informatie die je online kunt vinden op *bricklink.com*, ontstaat een geheel nieuwe manier om te bepalen wat je gaat maken.

Blogs en fansites

De lijst van legoblogs en -fansites wordt elke dag langer. Sommige, zoals die van mijzelf op *warrenelsmore.com*, zijn afkomstig van particulieren. Andere, zoals *brickshelf.com*, laten creaties van duizenden fans zien. Er zijn nieuwssites, discussieforums en alles ertussen.

In de lange lijst van websites staan een paar fansites waar ik vaak naartoe ga en die goed zijn om mee te beginnen. Allereerst is er *brickset.com*, dat zichzelf profileert als 'de beste online-informatiebron voor legoverzamelaars in de wereld'. En dat is beslist niet te veel gezegd. Brickset heeft de grootste en meest complete database van elke legoset die ooit is gemaakt en maakt het mogelijk je eigen verzameling vast te leggen. Je vindt er ook het laatste legonieuws en besprekingen van de nieuwste sets, evenals een levendig forum.

De site *eurobricks.com* beperkt zich zeker niet tot Europa. De site is gebaseerd rond een enorm onlineforum, maar laat ook de mooiste creaties zien en geeft productinformatie. Eurobricks is ook bekend om zijn recensies van sets van zijn leden. De standaard van de recensies is ondertussen zo hoog dat ze hun eigen 'academie' hebben om nieuwe recensenten het vak te leren.

De laatste site die ik geregeld bezoek, is Brothers Brick (*brothers-brick.com*). Brothers Brick concentreert zich hoofdzakelijk op het laten zien van de beste creaties van legofans over de hele wereld. De standaard is erg hoog en de meeste bouwers zijn er erg trots op als hun werk op deze site wordt getoond.

Flickr, YouTube, Facebook enz...

Hoewel er tal van speciale legowebsites bestaan, kun je overal op internet van alles vinden over LEGO. Of jij nou het liefst op Flickr, YouTube, Facebook, Twitter of een andere social media zit, je kunt er zeker van zijn dat er ook veel legofans op zitten. Zoek gewoon op het woord 'LEGO'.

GROTE PIRAMIDE VAN GIZEH

De Grote piramide van Gizeh is
het enige van de oorspronkelijke
zeven wereldwonderen dat er
nog is. Dat is niet zo gek als je kijkt
naar zijn omvang. Met een hoogte
van 147 meter en zijkanten van
230 meter is hij zelfs te groot om op
ware grote na te maken in LEGO®.
Na het bouwen werd de piramide
bekleed met glanzend witte steen,
waarvan nog nauwelijks iets over is.
Wij kozen ervoor de arbeiders te
laten zien die de laatste hoek van
de piramide afbouwen.

In tegenstelling tot wat altijd wordt beweerd, waren de bouwers geen slaven maar opgeleide arbeiders. De meningen zijn verdeeld over het aantal mensen dat nodig was, maar er was hoe dan ook minimaal tien jaar voor nodig om hem af te bouwen.

SFINX

De grote Sfinx van Gizeh is de grootste monolithische sculptuur ter wereld en is ruim 70 meter hoog. Meer dan 2500 jaar geleden gebouwd en veel van de kenmerken zijn nog goed bewaard gebleven. De neus heeft het, zoals we weten, niet overleefd; historici denken dat deze in de 16e eeuw is afgebroken.

MINI-SFINX

De naam van dit nationale Egyptische embleem stamt uit de Griekse mythologie. De sfinx zou de toegang tot de stad Thebe hebben bewaakt en alleen hun toegang tot de stad verleend hebben die zijn raadsel correct beantwoordden. Deze miniversie is minder intimiderend.

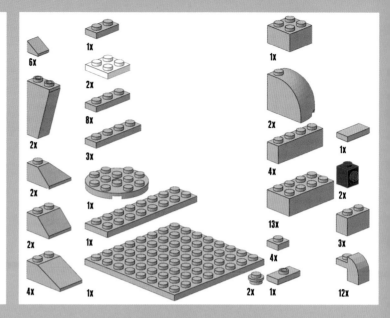

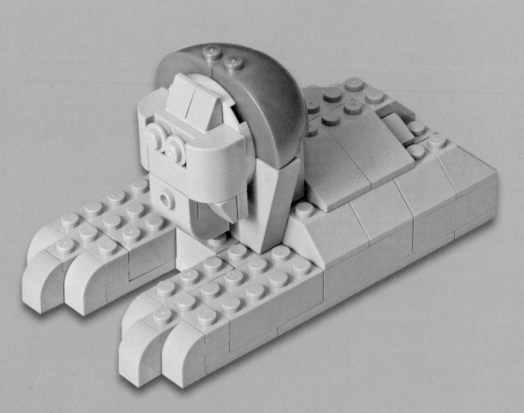

1

2

3

4

5

6

7

8

9

10

11

12

13

14

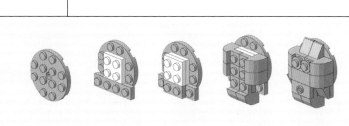

SCARABEE

In het oude Egypte werd de scarabee gezien als heilig wezen. Nu kennen we hem als mestkever. Scarabeeën werden niet alleen als hiërogliefen weergegeven, ook als amuletten, grafgiften en sieraden. Hoewel de mestkever in het echt zelden zo groot zou kunnen worden als ons model, kunnen sommige soorten wel 160 millimeter lang worden, wat wel dicht in de buurt komt.

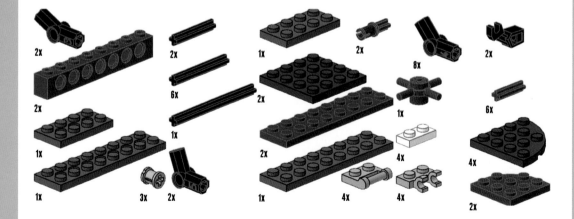

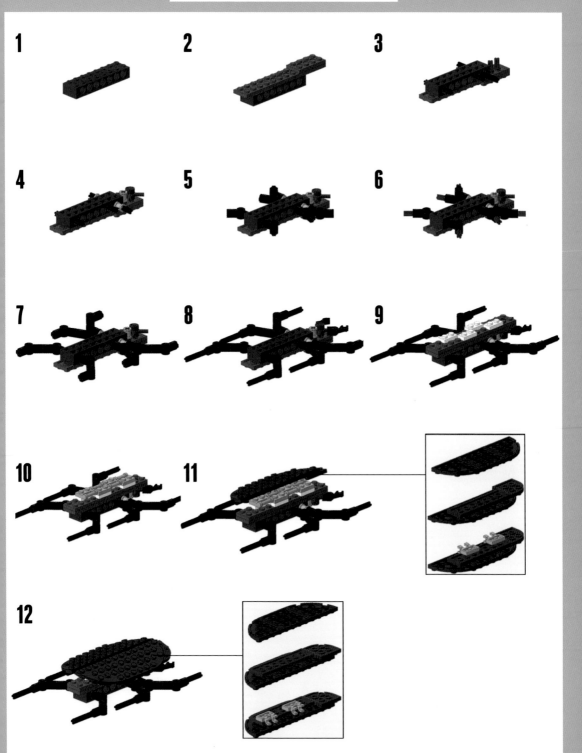

Hangende tuinen van Babylon

Niemand weet hoe de Hangende tuinen van Babylon er precies uitzagen. We weten zelfs niet exact waar ze zich bevonden. Ze zouden rond 600 v.C. door koning Nebukadnezar II zijn aangelegd en waren mogelijk een geschenk voor zijn vrouw. Zij had heimwee naar de planten van Media en daarom legde de koning zo'n prachtige tuin aan op pilaren. Hij kreeg het hele jaar door water (zelfs tijdens hevige droogte) en werd een wereldwonder.

Omdat we geen afbeeldingen hebben van de echte tuinen is ons model gebaseerd op een 18e-eeuwse gravure van de Nederlandse kunstenaar Maarten van Heemskerck en aangevuld met wat eigen verbeeldingskracht.

TRIREME

De trireme is bekend als een Grieks schip, maar werd in werkelijkheid in het hele Middellandse Zeegebied gebruikt. Door de vele roeiers aan weerszijden waren de schepen snel en wendbaar en ideaal voor oorlogvoering. Technisch gezien zou de trireme aan weerszijden drie rijen met riemen moeten hebben, maar omdat dit legomodel zo klein is, moet je het je maar inbeelden.

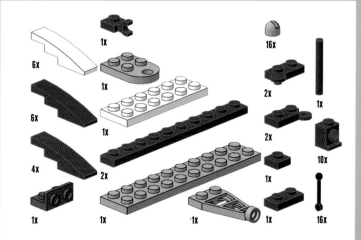

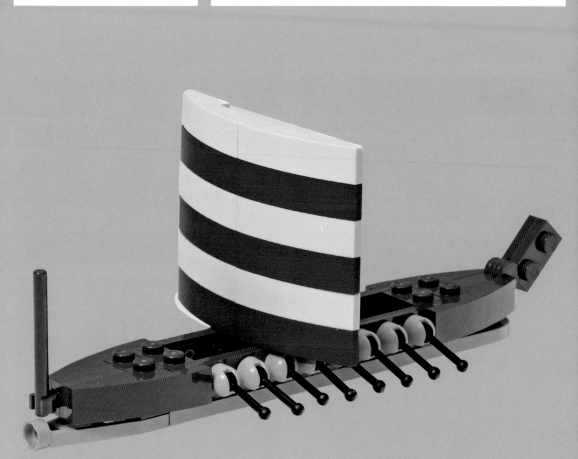

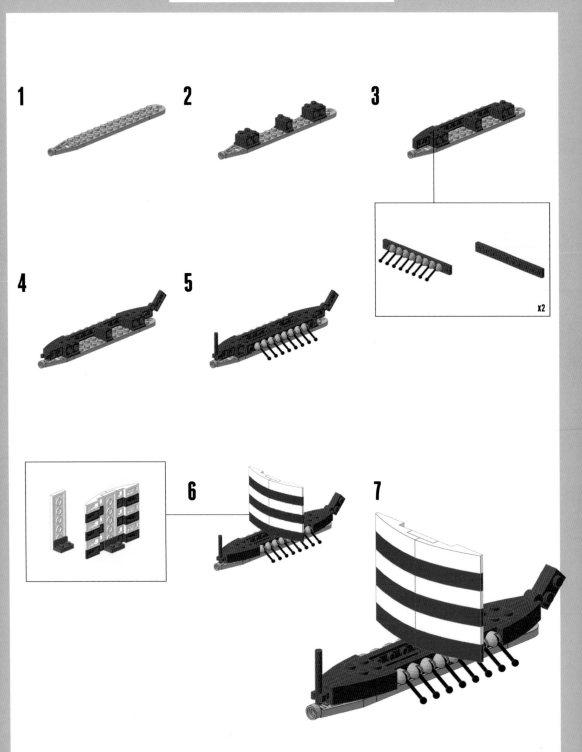

FONTEIN EN BOOM

In het midden van elke koninginnen-tuin moet een fontein staan – vooral in het hete klimaat van het Midden-Oosten – voor beweging en geluid en om de lucht te koelen natuurlijk. Onze legofontein is een eenvoudige constructie. De truc is om het hoofdonderdeel ondersteboven te bouwen en de kegels te gebruiken als kleiner wordende lagen. De palmbomen maken de sfeer compleet.

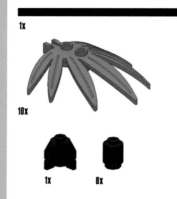

1x

10x

1x   8x

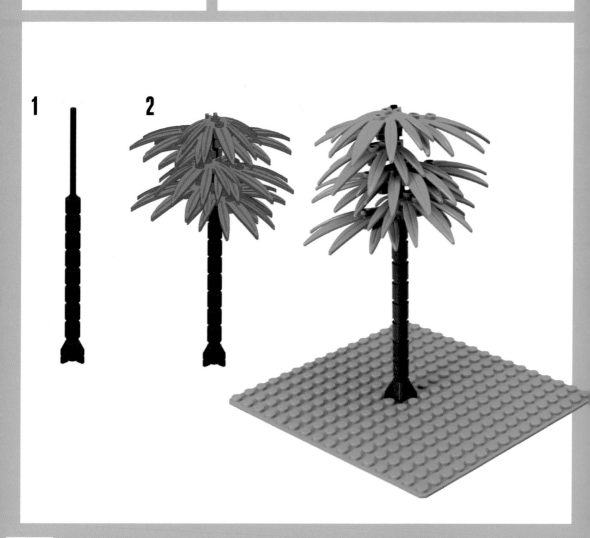

1

2

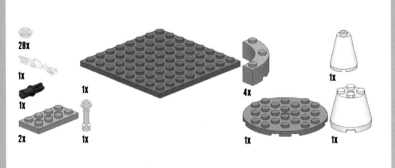

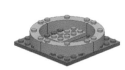

1

2

3

4

5

6

7

BEELD VAN ZEUS IN OLYMPIA

Zeus was het hoofd van alle Griekse goden. Het beeld van Zeus in Olympia was een van de grootste antieke beelden die ooit werden gebouwd. Hij was meer dan 13 meter hoog en had zijn eigen tempel, waar hij amper in paste. Er wordt wel gezegd dat de beeltenis was geïnspireerd op een omschrijving in Homerus' *Illias*. Het beeld bestond uit een houten frame, bekleed met ivoren en gouden panelen en moet zelfs voor ons een indrukwekkend gezicht zijn geweest.

Waarschijnlijk is het beeld verwoest ten tijde van het Romeinse Rijk. Het werd gemaakt in ca. 435 v.C., wat werd bevestigd door de vondst van objecten uit de werkplaats van de beeldhouwer Phidias, waaronder een beker waarin aan de zijkant stond gegraveerd 'Ik ben van Phidias'.

BLIKSEMSCHICHT

Dit lijkt misschien niet op een bliksemschicht, maar de oude Grieken zouden hem wel herkennen. Onze bliksemschicht is gebaseerd op de afbeeldingen op talloze oude Griekse vazen. Deze door Zeus gesmede bliksem was oorspronkelijk een geschenk van Cycloop, een reus met één oog uit de Griekse mythologie. Het zou een machtig wapen zijn geweest in zijn handen. Wij vertrouwen erop dat jij er voorzichtig mee omgaat.

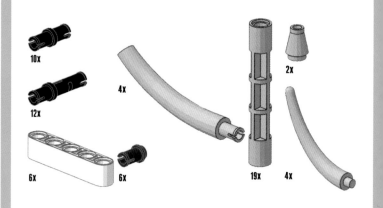

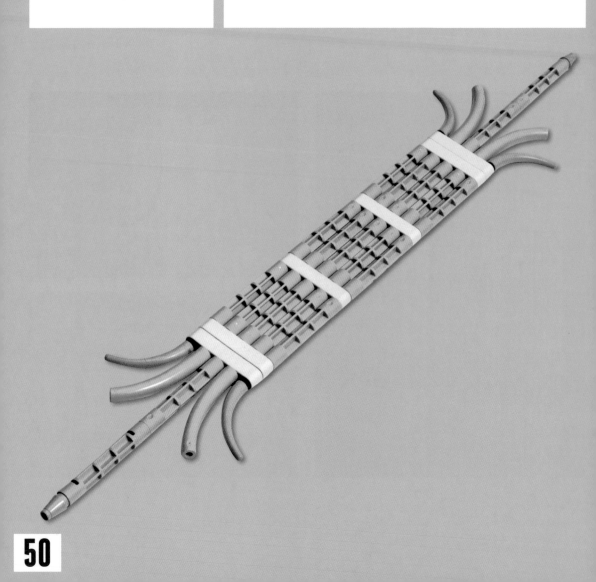

1

2

3

4

5

6

7

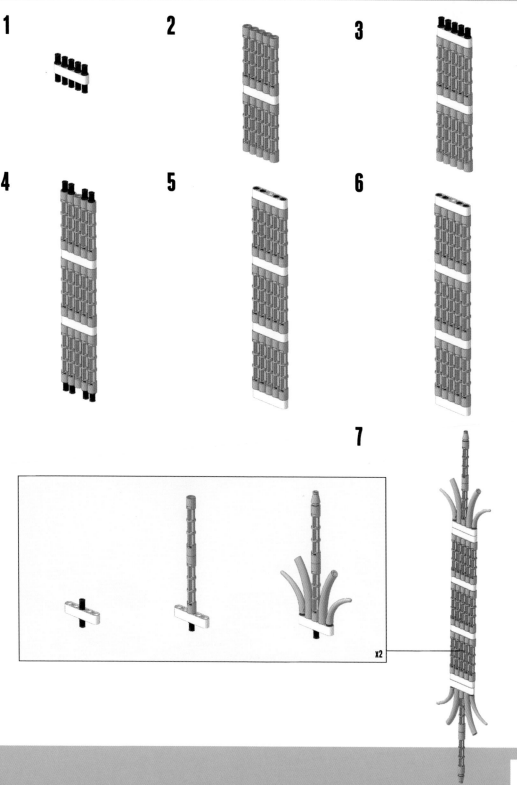

x2

LYSICRATES-MONUMENT

Het Choragische monument van Lysicrates werd in 334 v.C. opgericht door een rijke muziek-liefhebber. Het origineel staat in Athene, in de buurt van de Acropolis, maar misschien doet hij je ergens aan denken. Dat zou best kunnen, aangezien er in de hele wereld tal van varianten zijn op dit monument, van Edinburgh tot Sydney en New York.

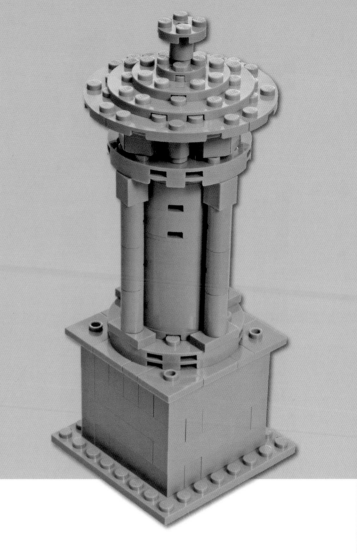

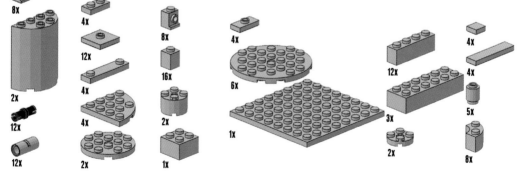

8x

4x

12x

4x

2x

12x

12x

4x

4x

2x

8x

16x

2x

1x

4x

6x

1x

4x

12x

3x

2x

4x

4x

5x

8x

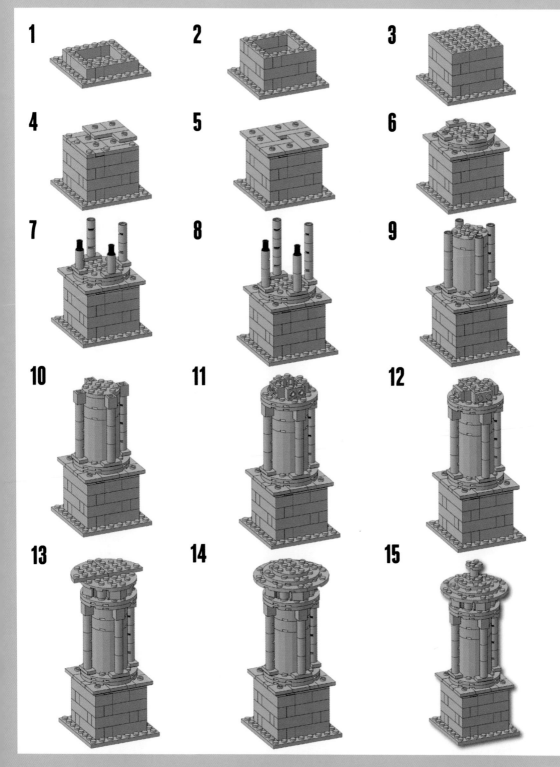

TEMPEL VAN ARTEMIS

De tempel van Artemis die je hier ziet, is in werkelijkheid de derde tempel die op deze locatie werd gebouwd. Elke volgende was groter en indrukwekkender dan zijn voorganger. De tempel was versierd met goud en elke zuil was 18 meter hoog. De tempel was 127 meter lang en 69 meter breed en zou niet misstaan naast een hedendaags sportstadion.

Deze tempel was gewijd aan Artemis, godin van de jacht en dochter van Zeus. De tempel bleef staan tot 400 v.C., toen de stenen, net als van vele andere monumenten, werden gebruikt om andere gebouwen mee te maken.

ZUIL MET KAPITEEL

Alle 127 zuilen van de Tempel van Artemis zagen er hetzelfde uit. De marmeren zuilen waren sterk genoeg om wat werd gezien als een van de grootste wereldwonderen te ondersteunen. We hebben ronde 2x2-profielsteentjes gebruikt om de gegroefde zuilen te creëren. Ze kunnen aan elkaar worden gekoppeld voor een Parthenon-effect.

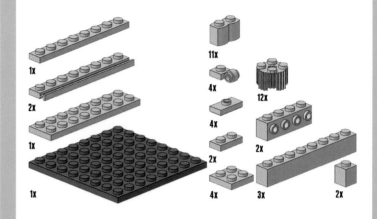

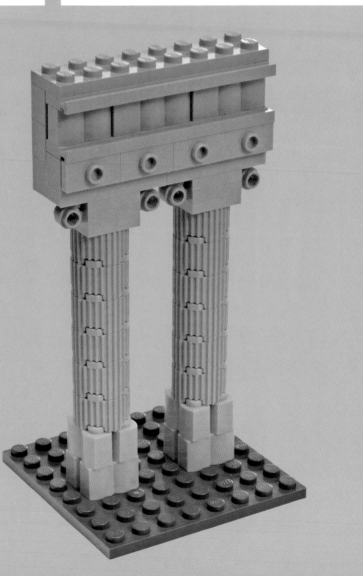

1

2

3

4

5

6

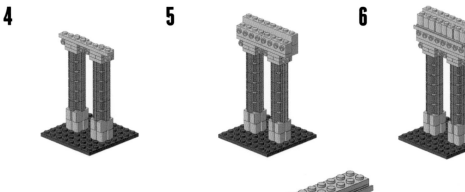

7

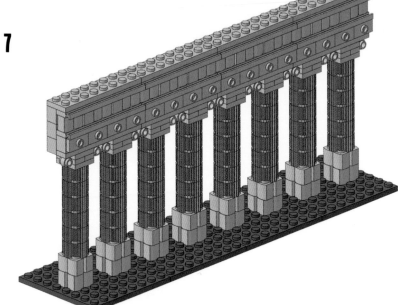

ALTAAR

Net als bij veel tempels in die tijd werd het altaar van Artemis buiten de tempel geplaatst in een apart gebouw. In ons legomodel hebben we hekwerken gebruikt om de zuilen van het altaar te maken en *jumper plates* (1×2-plaatje met 1 nop) voor de korte rand langs de buitenkant van het altaar.

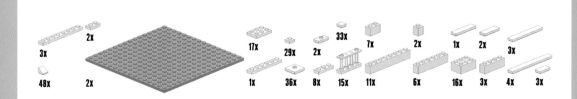

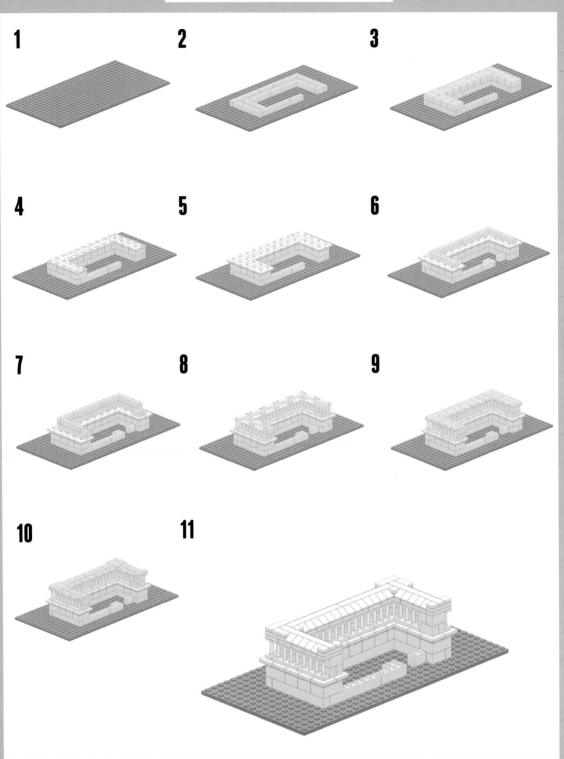

1

2

3

4

5

6

7

8

9

10

11

MAUSOLEUM VAN HALICARNASSUS

Het Mausoleum van Halicarnassus werd gebouwd in opdracht van Artemisia als eerbetoon aan haar echtgenoot (en broer) Mausolus. De beste kunstenaars uit Griekenland werden aangesteld en elke zijde van de tombe werd door een andere beeldhouwer bewerkt. Artemisia stierf voor het mausoleum klaar was, maar de beeldhouwers bleven om het project af te maken.

Het voltooide Mausoleum van Halicarnassus zou zo mooi zijn geweest dat het een van de antieke wereldwonderen werd. De locatie is nu Bodrum in Turkije en alleen de fundamenten van de tombe zijn nog bewaard gebleven.

PAARD VAN TROJE

Lukt het je niet de vijandelijke stad te veroveren, bouw dan een groot houten paard om binnen te komen! Volgens het verhaal deden de Grieken nadat ze de stad Troje tevergeefs tien jaar hadden belegerd of ze wegzeilden. Ze lieten als geschenk een enorm houten paard achter dat de Trojanen dankbaar binnen hun stadspoorten haalden. Zij wisten echter niet dat in het paard Griekse soldaten verstopt zaten. 's Nachts kropen ze eruit en haalden het hele leger de stad binnen.

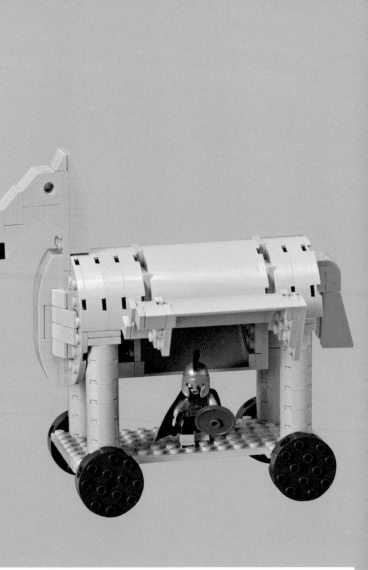

1

2

3

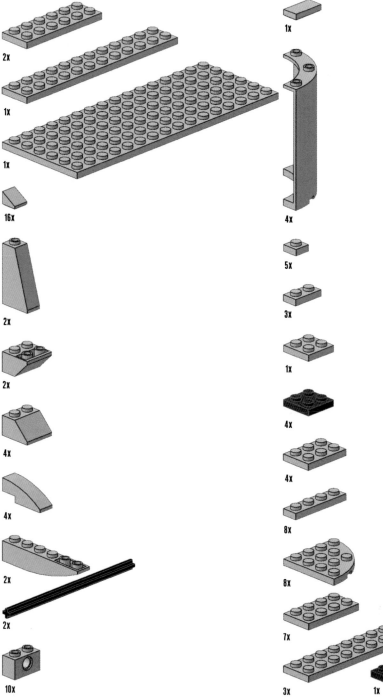

2x

1x

1x

16x

2x

2x

4x

4x

2x

2x

10x

1x

5x

2x

2x

8x

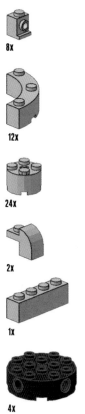

4x

5x

3x

1x

4x

4x

8x

8x

7x

3x

5x

2x

2x

8x

12x

24x

2x

1x

4x

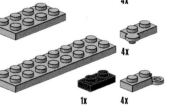

4x

1x

4x

6x

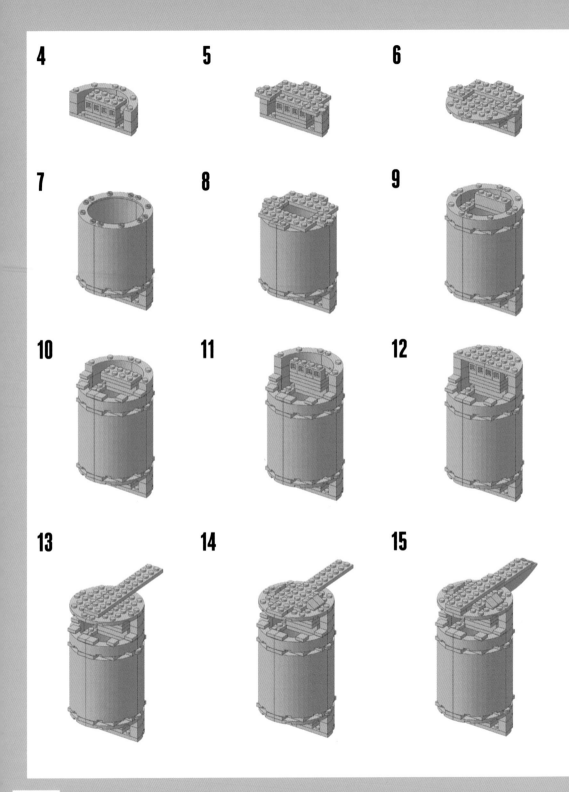

16

17

18

19

20

21

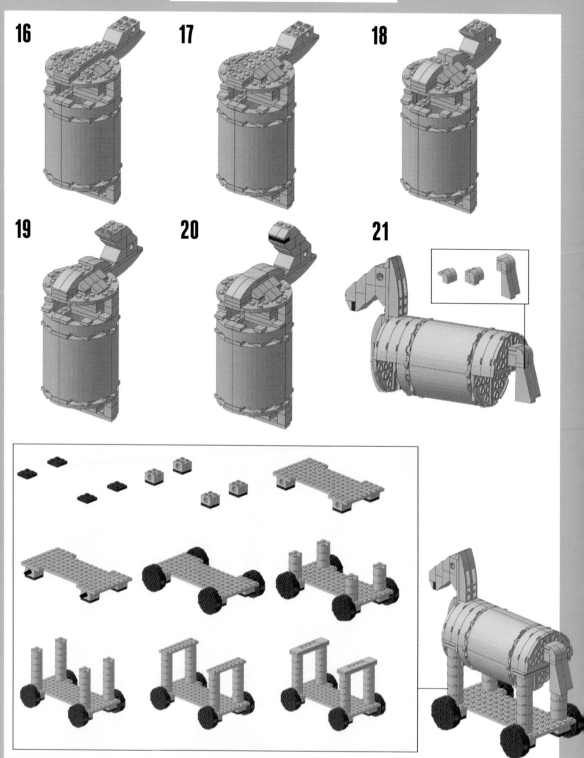

STRIJDWAGEN

De Scythen waren een oud volk dat leefde op de Aziatische steppen en goed bekend was met de Grieken. Ze waren beroemd om hun agressieve soldaten en een strijdwagen als deze zou dan ook goed van pas zijn gekomen. Pas op dat je je niet snijdt aan de messen die uit de assen van de wielen steken!

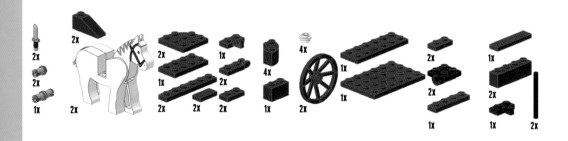

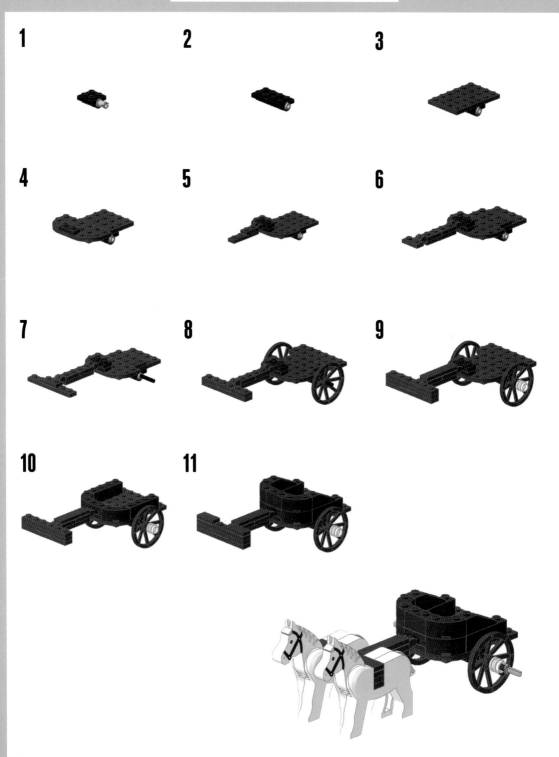

KOLOSSUS VAN RHODOS

Hoewel het gebruikelijke beeld van de Kolossus van Rhodos er een is van een enorm standbeeld wijdbeens boven de haveningang, is dat waarschijnlijk niet hoe het er oorspronkelijk uit heeft gezien. Het beeld, dat rond 300 v.C. werd gemaakt, stond waarschijnlijk aan één kant van de ingang – maar ook daar zal hij met zijn 98 meter hoogte een indrukwekkende verschijning zijn geweest. De Kolossus stond er maar vijftig jaar, tot een aardbeving hem in 226 v.C. verwoestte.

De ruïnes van de Kolossus van Rhodos waren zo indrukwekkend dat ze ruim 800 jaar een toeristische attractie bleven. Architecten van de late 19e eeuw hielden zo van het ontwerp dat ze het Vrijheidsbeeld van New York erop baseerden.

Mini-Kolossus

Onze kleine Kolossus is misschien niet zo reusachtig als het echte beeld, maar hij is wel gemakkelijker om te maken. Omdat hij van LEGO® is gemaakt, zou hij een aardbeving zonder problemen overleven, iets wat het echte beeld in 226 v.C. niet lukte.

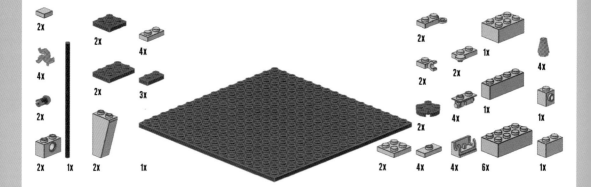

1

2

3

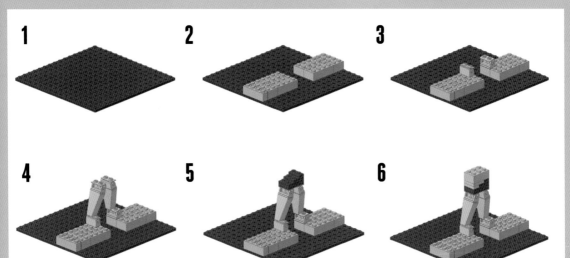

4

5

6

7

8

9

10

11

12

ARCHIMEDES' HEFBOOM

Archimedes schreef over de hefboom: 'Geef mij een plek om te staan en ik kan er de aarde mee bewegen.' Hij wist ook dat je, om de aarde te kunnen bewegen, enorm ver weg moest gaan staan (en iets heel stevigs nodig had waarop hij kon rusten). Met deze kleine wereldbol zou het moeten lukken.

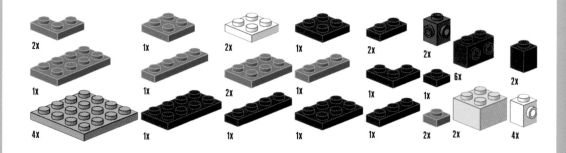

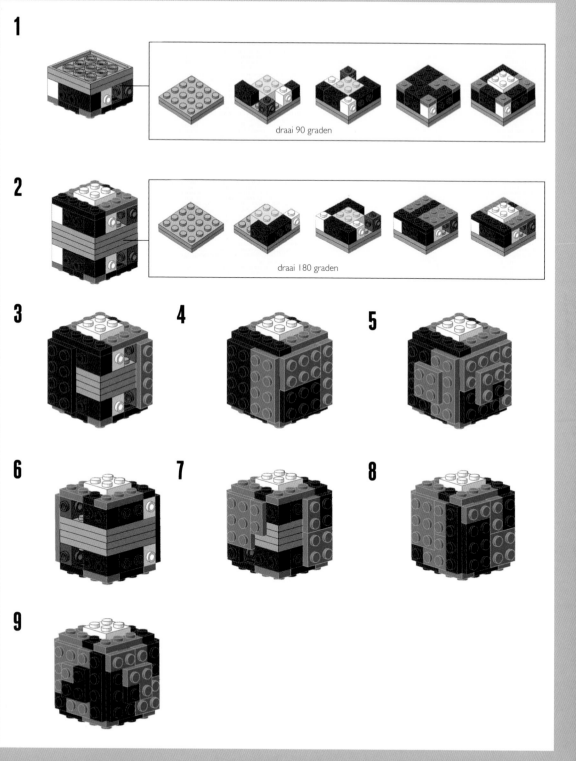

1

draai 90 graden

2

draai 180 graden

3

4

5

6

7

8

9

VUURTOREN VAN ALEXANDRIË

De vuurtoren van Alexandrië was beroemd omdat hij eeuwenlang het hoogste bouwwerk ter wereld was. De vuurtoren stond op het kusteiland Pharos en leidde rond 250 v.C. heel wat Egyptische schepen veilig de haven in. Hoewel hij het slachtoffer werd van meerdere aardbevingen wist de vuurtoren tot 1480 te overleven, toen de laatste stenen ervan werden meegenomen voor de bouw van een nabijgelegen fort.

In zijn toptijd was de vuurtoren ruim 122 meter hoog (ongeveer net zo hoog als de Piramide van Gizeh) en zichtbaar vanaf vele kilometers afstand. Hij zou 800 *talenten* hebben gekost, vergelijkbaar met ruim 2,2 miljoen euro nu.

SJADOEF

De sjadoef is misschien wel een van de oudste methodes om water uit de grond te halen en is nog steeds in gebruik. Aan een uiteinde van een paal bevindt zich een gewicht, als tegenwicht voor een emmer met water aan het andere uiteinde. Met een sjadoef kun je zonder veel moeite water putten voor irrigatie, om te drinken of in te baden.

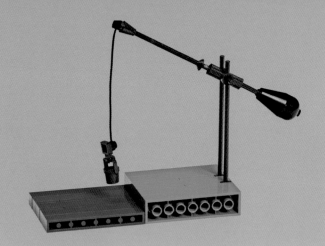

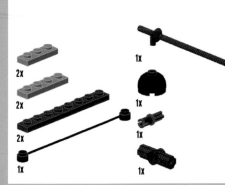

2x

2x

2x

1x

1x

1x

1x

1x

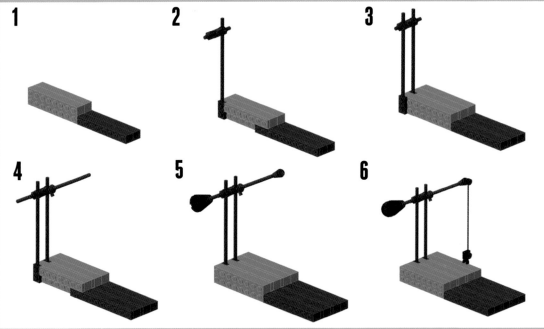

5x

5x

1x

2x

2x

1x

2x

1x

1

2

3

4

5

6

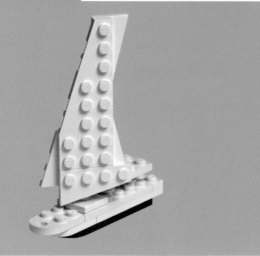

FELOEKA

De feloeka is een traditionele Noord-Afrikaanse zeilboot met een driehoekig zeil. Maar wist je dat deze schepen vroeger ook populair waren in San Francisco? De beroemde Fisherman's Wharf was eens de thuisbasis van de grootste feloekavloot van vissers in de baai. Helaas zijn die nu verdwenen, maar ze zijn nog steeds erg populair op de Nijl in Egypte.

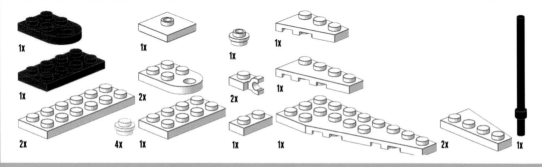

1

2

3

4

5

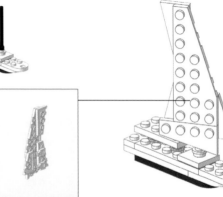

85

Historische wereldwonderen

De Chinese Muur

Over de Chinese Muur wordt vaak
gezegd dat het 't enige bouwwerk is
dat vanuit de ruimte te zien is. Deze
mythe is niet waar, maar dat maakt
het formaat van de muur niet minder
indrukwekkend. Met meer dan
6000 kilometer kunnen we het zeker
geen tuinornament noemen. De
Chinese Muur werd tussen 700 en
200 v.C. gebouwd door een reeks
oude Chinese keizers om het land
te beschermen tegen hun vijanden
uit het noorden.

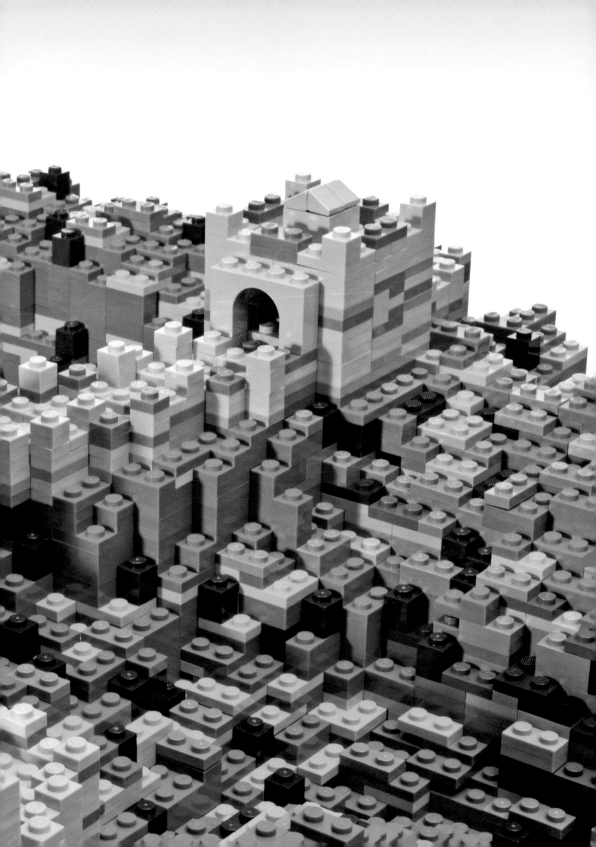

De Chinese Muur werd ooit gebruikt als grenscontrole langs de Zijderoute door het hele Aziatische continent en is nu een van de beroemdste toeristische attracties van China die duizenden bezoekers per jaar trekt.

CHINESE DRAAK

De Chinesedrakendans is wereld-beroemd. De draken, gedragen door groepen mensen, dansen door de straten. De dans vormt vaak het hoogtepunt van het Chinese Nieuwjaar. Misschien is je opgevallen dat onze draak uit negen delen bestaat en dat is niet toevallig. Het getal negen is een perfect getal in de Chinese samenleving en de meeste draken bestaan uit negen delen.

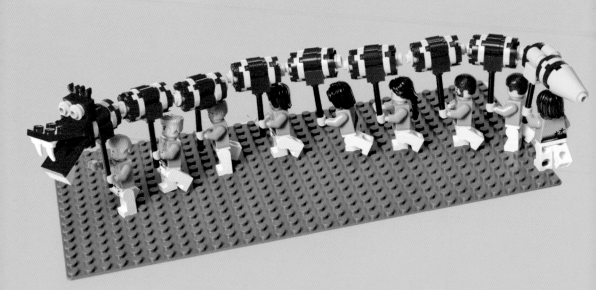

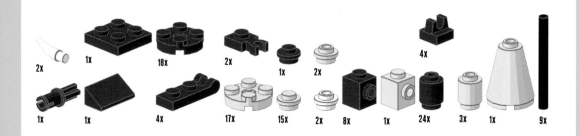

2x   1x   18x   2x   1x   2x   4x

1x   1x   4x   17x   15x   2x   8x   1x   24x   3x   1x   9x

1

2

3

4

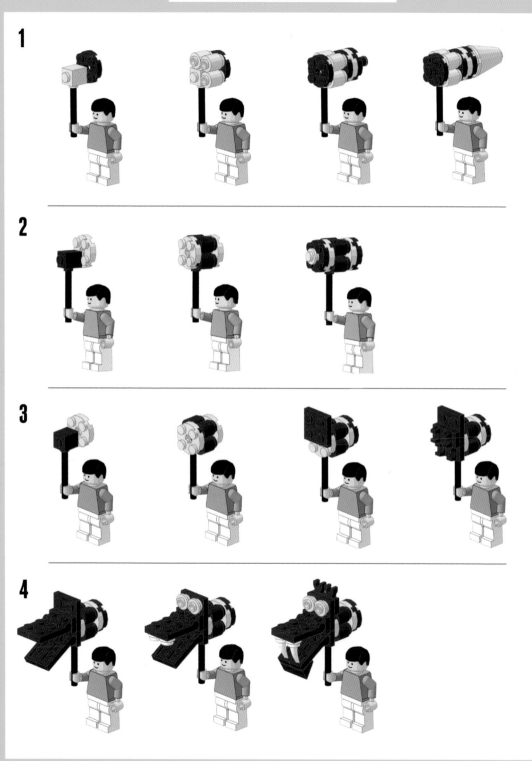

CHINESE PAGODE

Hoewel de Chinese pagodes in de loop van de eeuwen zijn veranderd van formaat en ontwerp, zijn ze altijd direct herkenbaar. Ze werden oorspronkelijk gebouwd voor het bewaren van relieken en heilige voorwerpen, maar hebben ook altijd voor een spectaculair uitzicht gezorgd. Hoewel de pagodes van oorsprong werden gebouwd van hout en steen, is hout nu het meest gebruikte bouwmateriaal.

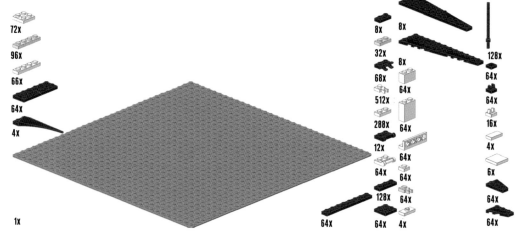

72x
96x
66x
64x
4x
1x

8x
32x
68x
512x
288x
12x
64x
128x
64x

8x
8x
64x
64x
64x
64x
64x
4x

128x
64x
64x
64x
16x
4x
6x
64x
64x

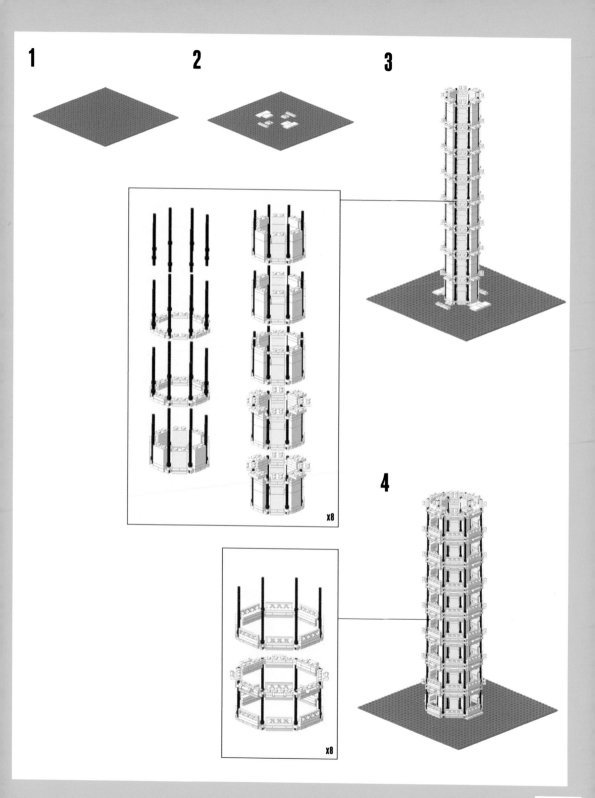

1

2

3

4

x8

x8

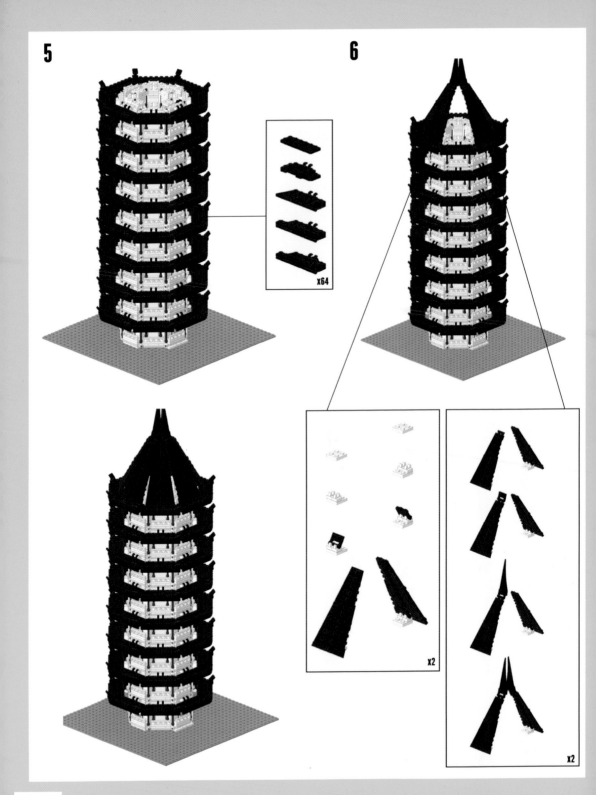

5

6

x64

x2

x2

x2

MACHU PICCHU

Machu Picchu ligt in Peru op 2500 meter boven zeeniveau. Dit weerhield de Inca's er niet van deze adembenemende stad te bouwen. De stad werd rond 1450 gebouwd en slechts 100 jaar bewoond, tot de Spaanse veroveraars naar Zuid-Amerika kwamen. De stad is aan drie zijden omgeven door de rivier Urubamba, met steile kliffen, en werd gebouwd als veilige haven voor het Incavolk. Hij was zelfs zo veilig dat de locatie strikt geheim werd gehouden. Het is nog steeds niet bekend of Machu Picchu een militaire vesting, een tempelcomplex of gewoon een stad met specta-culaire uitzichten was. Het is hoe dan ook een over de hele wereld erkend wereldwonder.

MACHU-PICCHUTREIN

Als je het geluk hebt Machu Picchu te bezoeken, dan neem je waarschijnlijk, zeker voor een deel, de trein. Op het hoogste punt bereiken deze treinen meer dan 4000 meter. Dat is net zo hoog als de Rocky Mountains of de Alpen.

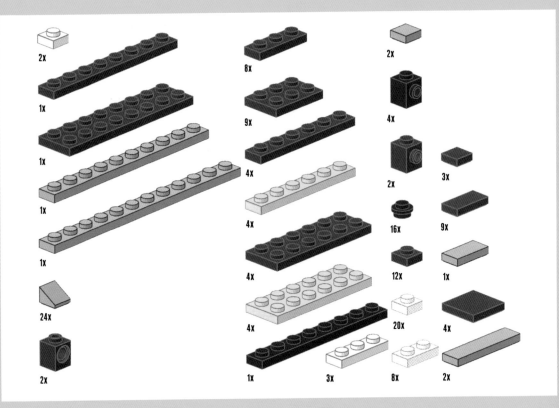

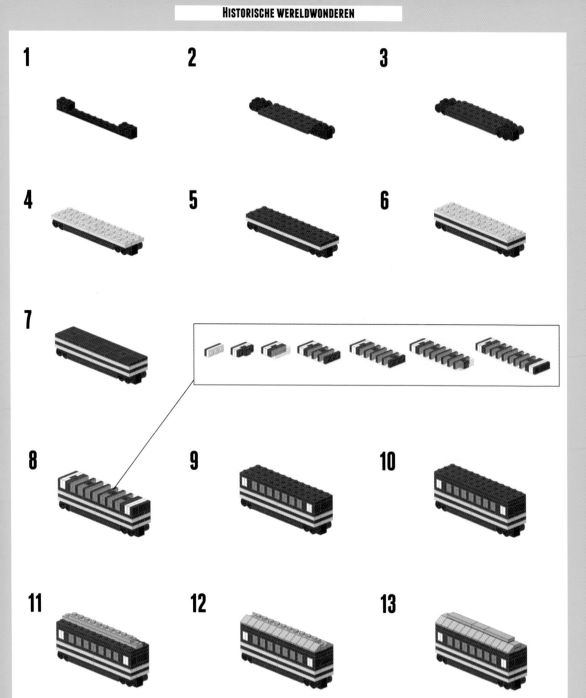

Machu-Picchulocomotief

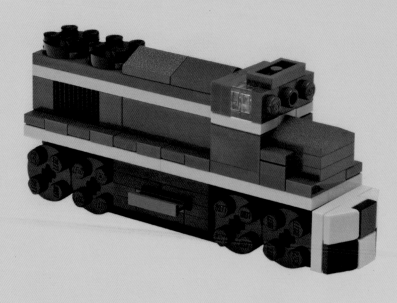

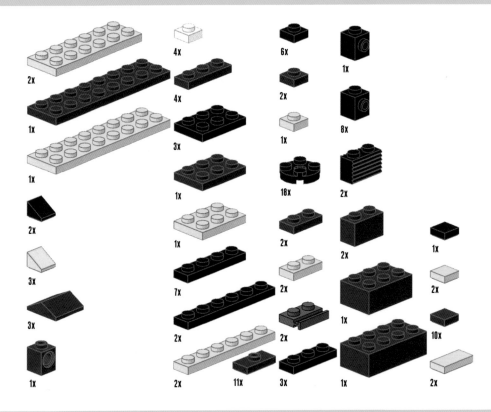

1

2

3

4

5

6

7

8

9

10

11

12

13

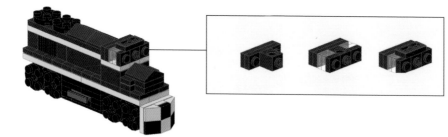

CONDOR

De condor is een van de grootste vliegende vogels ter wereld met een spanwijdte van meer dan 3 meter. Ze kunnen heel erg oud worden, minstens 50 jaar, en de oudste condor ter wereld stierf op de prachtige leeftijd van 100 jaar. De condor van de Andes is het nationale symbool van Peru en zal heel bekend zijn geweest bij de Inca's.

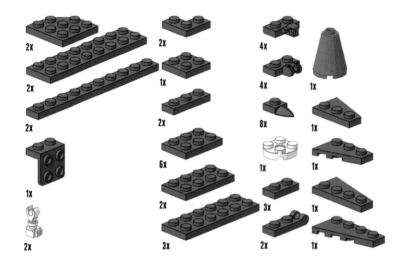

2x 2x 2x

2x 1x 2x 6x 2x 3x

4x 4x 8x 1x 3x 2x

1x 1x 1x 1x 1x 1x

1

2

3

4

5

6

7

8

9

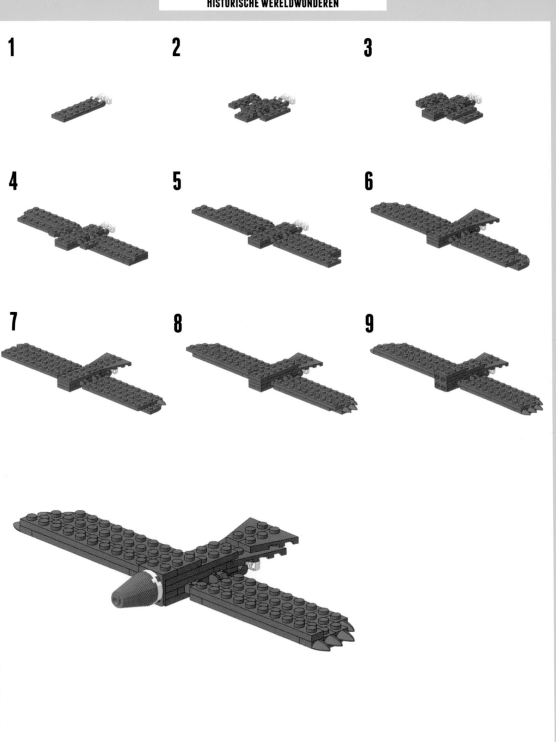

OLD LONDON BRIDGE

Old London Bridge was werkelijk een wonder. In 1176 werd in opdracht van Koning Henry II aan de bouw begonnen en in 1209 voltooid door Koning John. In 33 jaar tijd werd een brug gebouwd van 245-275 meter lang, 8 meter breed en ondersteund door 19 bogen. In 1973 werd op die plek de huidige brug van beton en staal geopend.

Elk uiteinde van de Old London Bridge werd beschermd door een poortgebouw en om de bouwkosten enigszins terug te verdienen werd bouwruimte verhuurd. Al snel stond de brug tot wel zeven verdiepingen hoog vol met meer dan 100 winkels. Er kwamen zelfs zoveel winkels dat vele ervan wel 2 m over de rand van de brug heen staken en maar 4 m straat overlieten.

MIDDELEEUWS HUIS

In de loop van de tijd werden de winkels op Old London Bridge steeds groter en groter. Dit kleine winkeltje zou dus uit de begintijd van de brug zijn geweest. De balkenconstructie is goed te zien, evenals de bovenverdiepingen die uitsteken over de benedenverdieping.

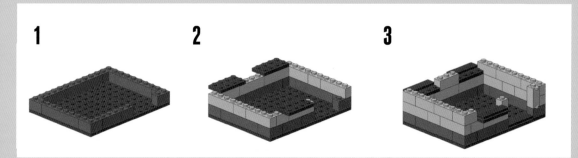

1   **2**   **3**

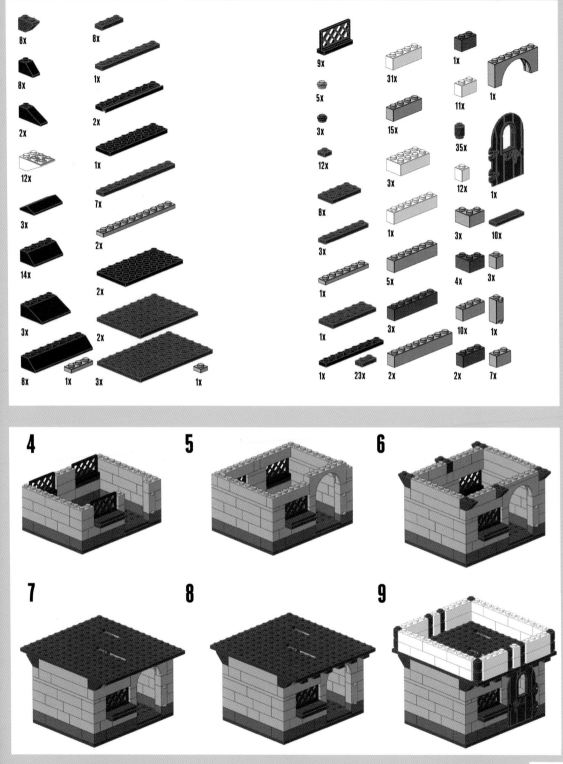

10

11

12

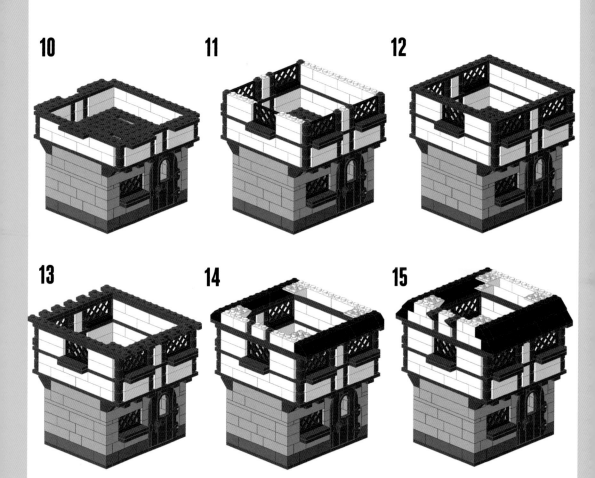

13

14

15

16

17

18

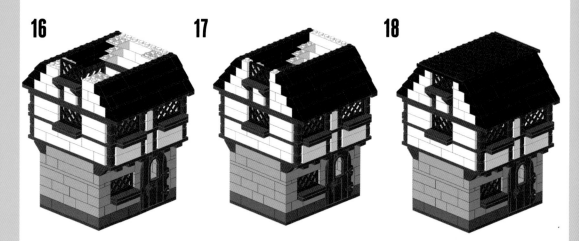

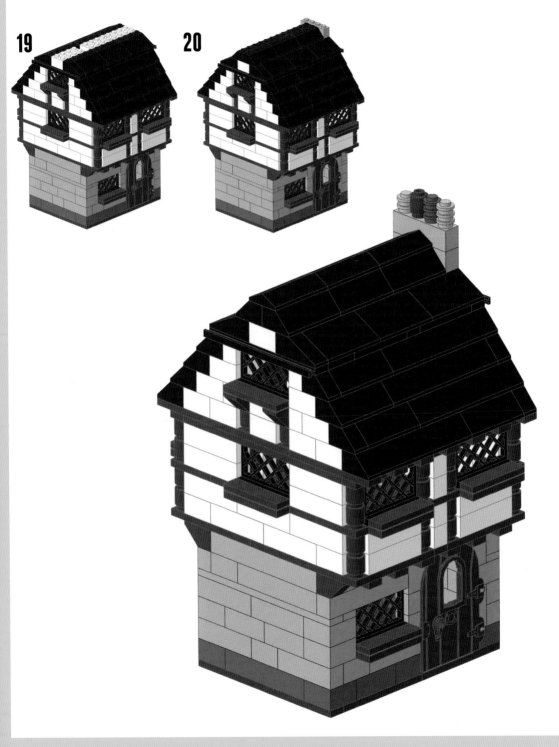

MONT SAINT-MICHEL

Mont Saint-Michel bevindt zich voor
de noordelijke kust van Frankrijk en
hoewel hij minder dan een vierkante
kilometer beslaat, wordt hij toch al
sinds de middeleeuwen bewoond
en vormt hij nog steeds de thuisbasis
voor een kleine populatie. Boven op
de berg staat een klooster dat wordt
omgeven door huizen en fortificaties.
De berg was lang een strategisch
belangrijk eiland en er is vele jaren
om gevochten. Vandaag de dag is
Mont Saint-Michel een rustige plek,
met uitzondering natuurlijk van de
tienduizenden toeristen die naar
dit Werelderfgoedmonument
komen kijken.

Ontwerp en foto: Arthur Gugick

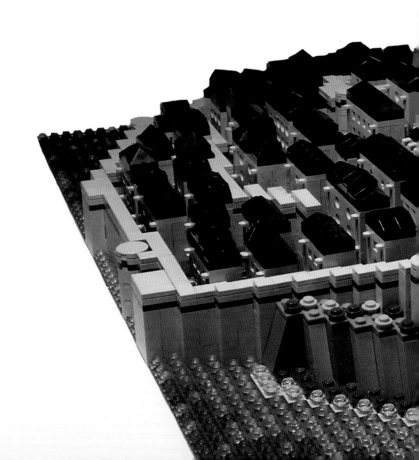

Mini-Mont Saint-Michel

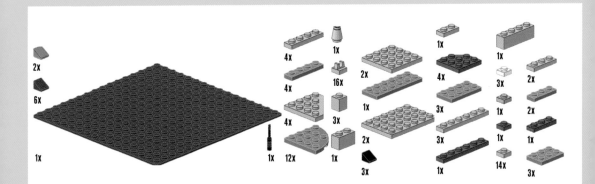

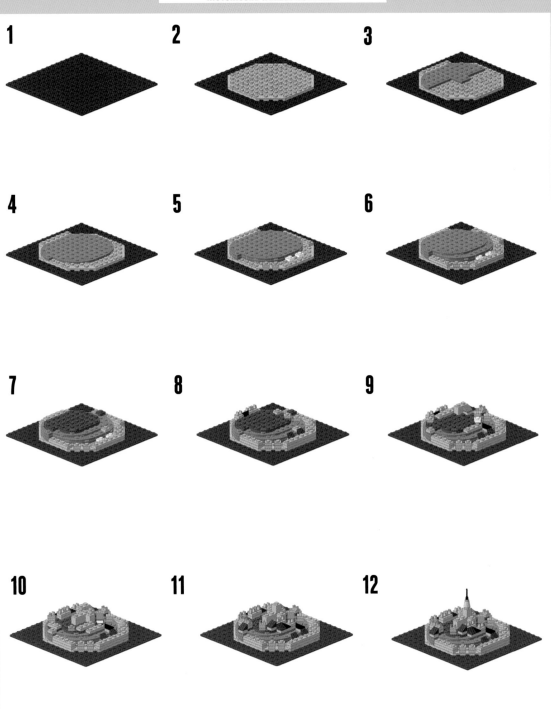

SHUTTLEBUS

De shuttlebussen naar Mont Saint-Michel behoren waarschijnlijk tot de meest unieke in de wereld. Het kleine eiland heeft geen ruimte om te parkeren en dus brengt de bus de bezoekers letterlijk heen en weer. Dat is op zich nog niet bijzonder, maar wel bijzonder is dat deze bus daarvoor niet hoeft te keren. Hij heeft twee voorzijden en kan aan beide zijden bestuurd worden.

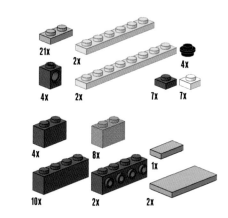

1

2

3

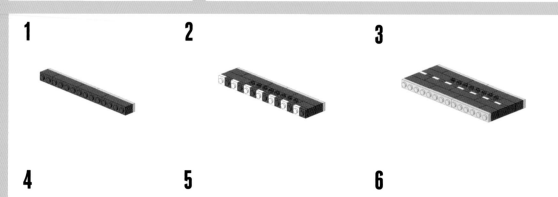

4

5

6

7

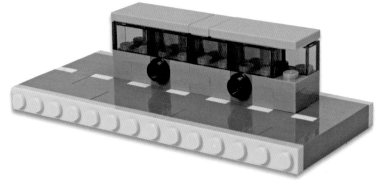

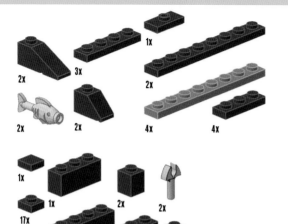

WAPENSCHILD

Een wapenschild is een uniek ontwerp dat in de loop van de eeuwen door tal van Europese edelen is gebruikt. Net als bij een bedrijfslogo gelden er strenge regels voor in landen zoals Groot-Brittannië, zodat er geen twee dezelfde zijn. Dit is het wapenschild van Mont Saint-Michel. Probeer eens je eigen wapenschild te ontwerpen!

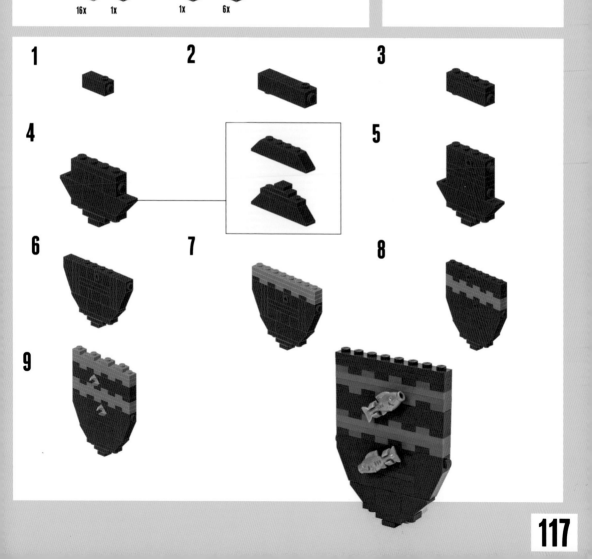

De stad Petra was tot 1812 totaal onbekend in de westerse wereld. Toen pas maakte een Zwitserse ontdekkingsreiziger hem bekend en sindsdien is de stad wereldwijd bekend. UNESCO noemt deze stad in de rotsen 'het meest waardevolle culturele bezit van het culturele erfgoed van de mensheid' en het Smithsonian koos deze stad als een van de 28 plekken waar je geweest moet zijn voor je sterft.

Petra was de hoofdstad van de Nabateeërs en werd gebouwd in 168 v.C. De Nabateeërs vergaarden hun rijkdom door de ligging van Petra en het vermogen van de bouwers om water te beheersen. Ze hadden niet alleen de controle over de handelsroutes, maar ook over het kostbaarste bezit in de woestijn.

Karavanserai

Handelaren die over de wegen kwamen die langs Petra voerden, zullen hun kamelenstoet geregeld hebben laten rusten bij een karavanserai. Net als een herberg of motel voorzag de karavanserai in een veilige overnachtingsplaats. Maar in plaats van een parkeerplaats voor je auto waren hier natuurlijk stallen voor de kamelen te vinden.

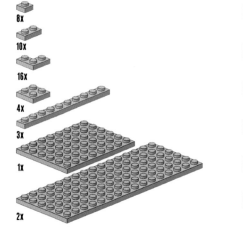

8x

10x

16x

4x

3x

1x

2x

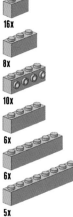

16x

8x

10x

6x

6x

5x

67x

10x

8x

48x

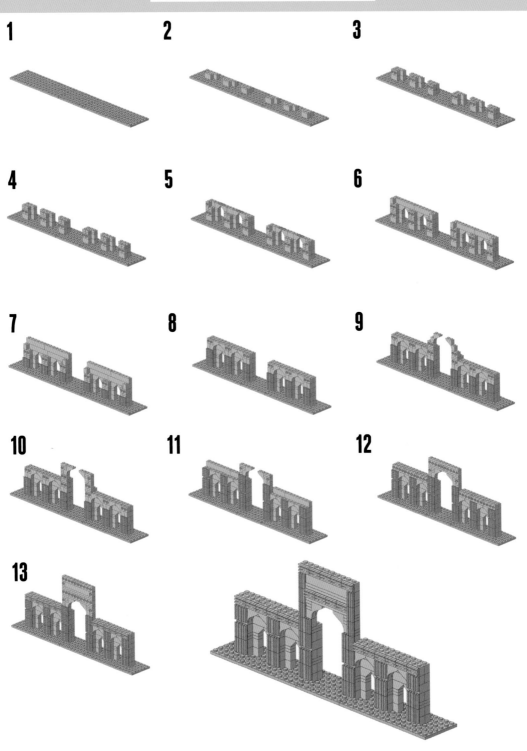

KAMEEL

De kameel wordt vaak het schip van de woestijn genoemd. Lopend over het steeds verschuivende zand weten zij dagelijks talloze goederen en mensen door de woestijnen van het Midden-Oosten te leiden.

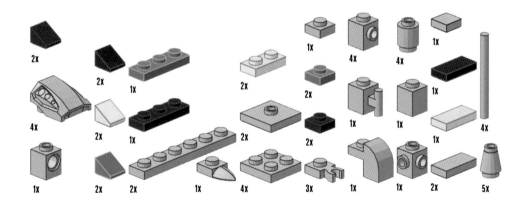

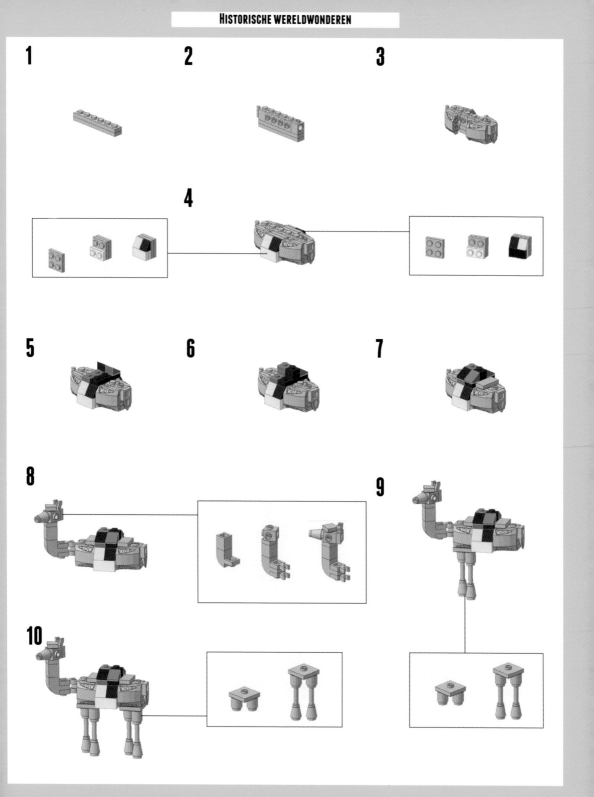

STONEHENGE

Stonehenge is net zo oud als de Egyptische piramides en een van de oudste monumenten van Groot-Brittannië. Hoewel nog steeds niet alles bekend is over dit bouwwerk hebben wetenschappers onlangs ontdekt waar de enorme stenen vandaan komen waarmee het monument is gebouwd. De stenen passen precies bij stenen die zijn gevonden in een groeve in Wales, meer dan 220 kilometer verderop. Zonder enige vorm van mechanisatie werden de tot wel 50 ton wegende stenen uitsluitend met basale gereed-schappen en heel veel bloed, zweet en tranen verplaatst.

Archeologen vinden nog steeds nieuwe informatie over Stonehenge. Dit Werelderfgoedmonument in Wiltshire, Engeland, trekt ongeveer een miljoen bezoekers per jaar.

PLOEG

De ploeg is net zo oud als sommige van onze wereldwonderen en bestaat al zo lang als mensen zaaien. Onze legoploeg wordt getrokken door een os en er zijn maar heel weinig onderdelen voor nodig. Pas op voor het mes, want dat kan scherp zijn.

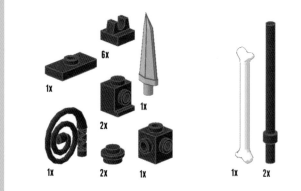

1

2

3

4

5

6

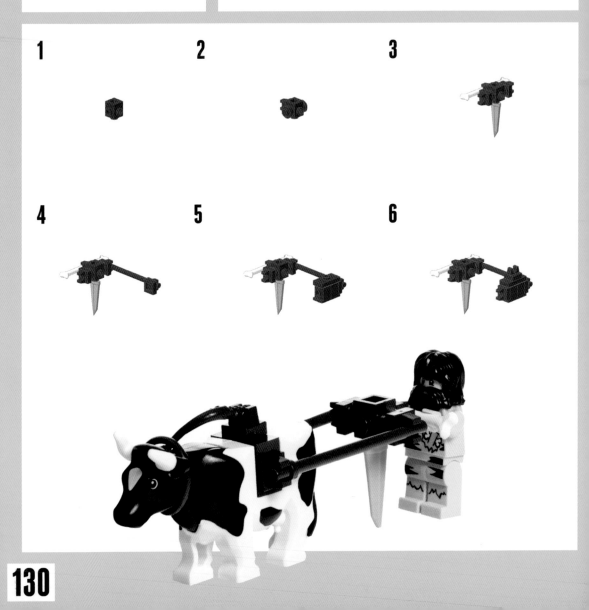

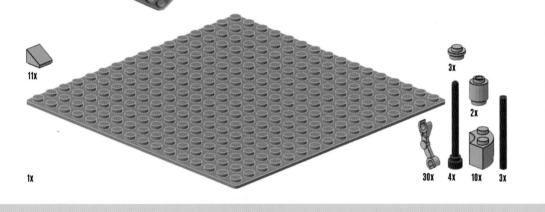

VARKENSSTAL

Als je dieren houdt, zoals de bouwers van Stonehenge, dan heb je een stal nodig. Deze twee eenvoudige ontwerpen laten je zien hoe je een muur of een eenvoudig hek kunt maken. Voor de muur zijn ronde blokjes gebruikt om er structuur aan te geven en het rieteffect bereik je door robotarmen te combineren met antennes.

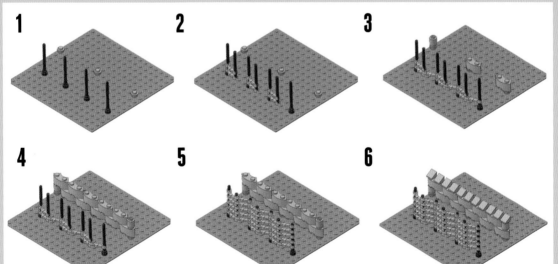

RONDHUIS

Rondhuizen zoals deze hut waren in de bronstijd populair in delen van Noord-Europa. Ze werden gebouwd van droog materiaal (zonder specie) en boden bescherming aan hele families. In het midden werd vuur gemaakt om iedereen warm te houden en de rook ging via het rieten dak naar buiten.

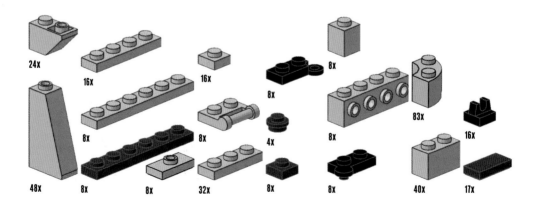

24x	16x	16x	8x	8x	83x	16x
48x	8x	8x	8x	32x	4x	8x	8x	40x	17x

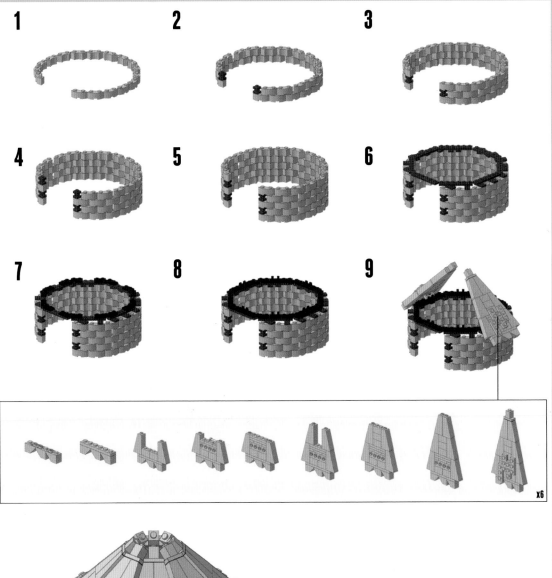

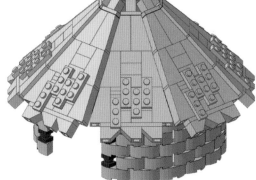

ANGKOR WAT

Cambodja's Angkor Wat is het grootste religieuze complex ter wereld, al is groot misschien niet de juiste term om hier te gebruiken. De buitenmuur omsluit 820.000 vierkante meter en zelfs die wordt omgeven door een gracht van 175 meter breed. Het terrein is niet alleen reusachtig, maar elke tempel is ook nog eens zeer rijk versierd met prachtige reliëfs waarop hindoeïstische verhalen en historische voorstellingen zijn weergegeven. Angkor Wat werd oorspronkelijk in de 12e eeuw gebouwd als hindoeïstische tempel, maar werd aan het einde van de 13e eeuw een boeddhistische tempel. Vandaag de dag staat Angkor Wat op de Werelderfgoedlijst en is een populaire toeristische bestemming.

Ontwerp en foto: Arthur Gugick

TEMPEL

De tempels van Angkor Wat strekken zich uit over een enorm terrein, maar waarom zou je zelf niet een mini-tempel bouwen? Op deze schaal is het lastig om de rijkbewerkte tempels na te bouwen en daarom heeft ons model verschillende kleuren grijs om de verschillende onderdelen van de koepel te laten zien.

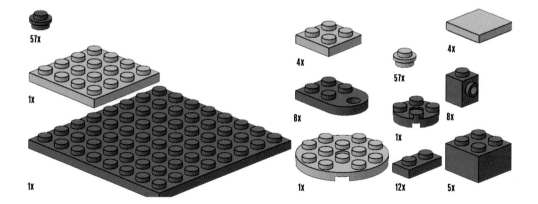

1

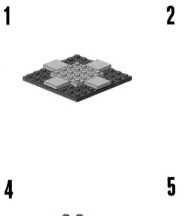

2

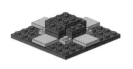

3

4

5

6

7

8

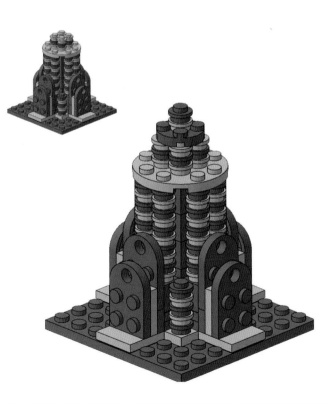

Tuktuk

De tuktuk zie je overal in Cambodja en grote delen van Zuidoost-Azië. Het is een kruising tussen een motorfiets en een kleine auto. Tuktuks zijn bijna overal de belang-rijkste vorm van openbaar vervoer. Met een topsnelheid van slechts 50 kilometer per uur zijn ze misschien niet zo snel als een taxi, maar omdat ze drie wielen hebben zijn ze wel heel wendbaar.

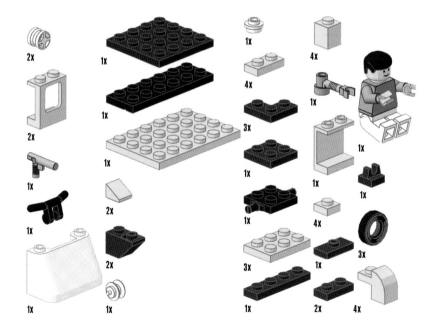

1

2

3

4

5

6

7

8

9

10

MODERNE WERELDWONDEREN

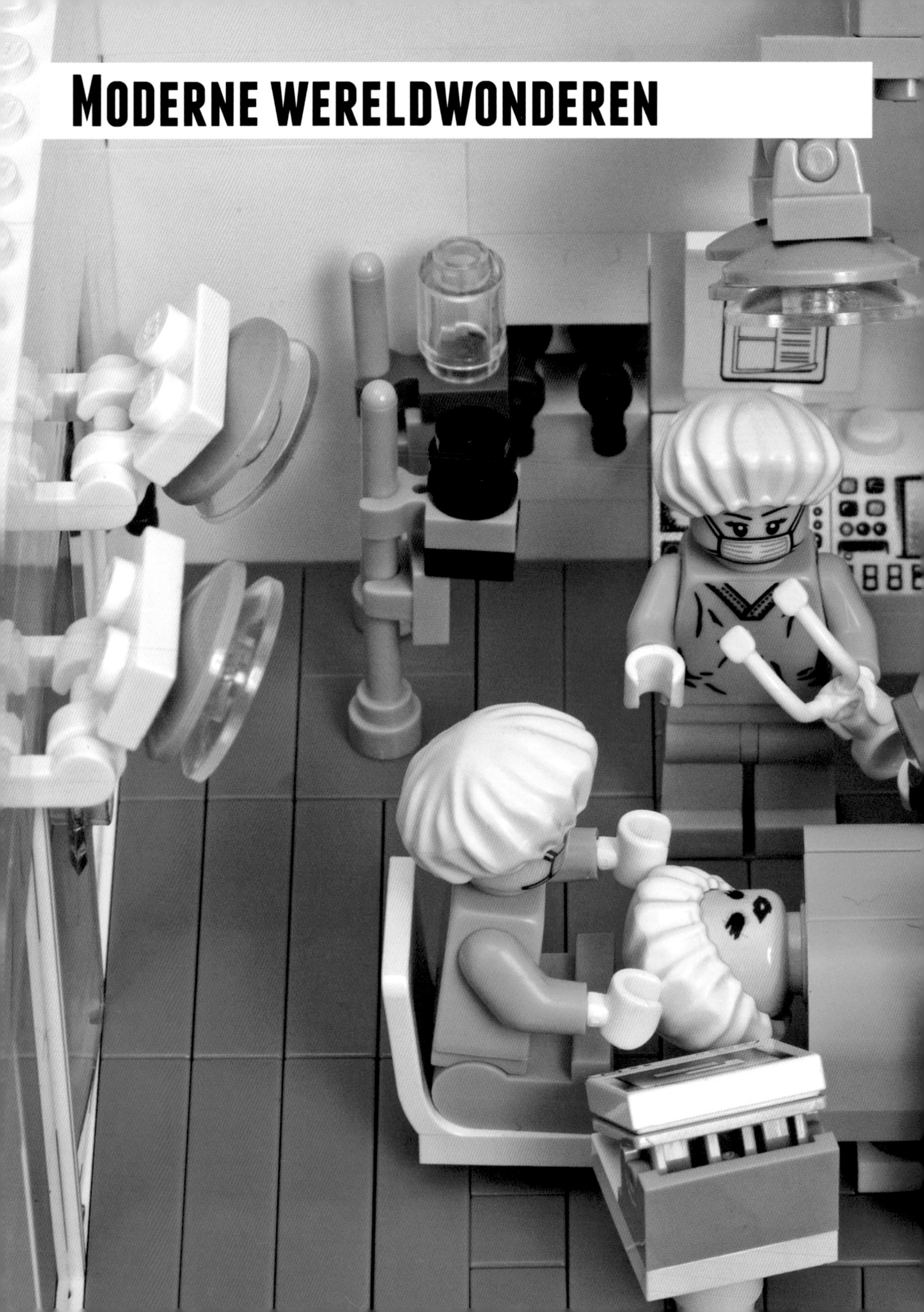

MODERNE GENEESKUNDE

De moderne geneeskunde heeft onze levensduur verlengd en ons bevolkingsaantal vergroot. Complexe operaties worden uitgevoerd in operatiezalen waarin zich oorspronkelijk rijen met bankjes bevonden, zodat studenten de chirurgen aan het werk konden zien. Vandaag de dag worden operatiezalen extreem steriel gehouden om infecties te voorkomen en alleen experts zijn erbij aanwezig. Zoals hier te zien is, behoren de tafel, speciale verlichting, een röntgenapparaat en hart- en bloeddrukmonitoren tot de standaarduitrusting.

De medische wetenschap is met sprongen vooruitgegaan. Door de komst van antibiotica en moderne technieken kunnen ooit levensbedreigende aandoeningen nu goed behandeld worden in het ziekenhuis. Als een legofiguurtje gewond raakt, is het echter simpelweg een kwestie van onderdelen vervangen.

INJECTIE

Je hoeft niet bang te zijn voor de naalden in deze lego-injectie. Lego-onderdelen kunnen wel pijnlijk zijn als je erop gaat staan, maar gelukkig is de punt van deze naald niet scherp. We hebben transparante rode steentjes gebruikt om de inhoud van de injectienaald weer te geven, maar je kunt ook een andere kleur gebruiken.

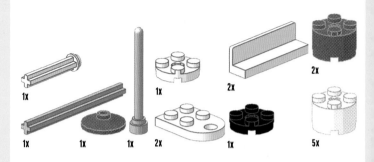

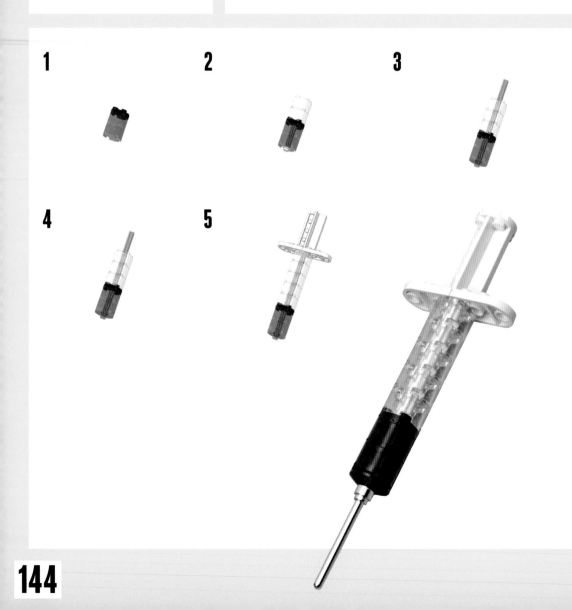

1

2

3

4

5

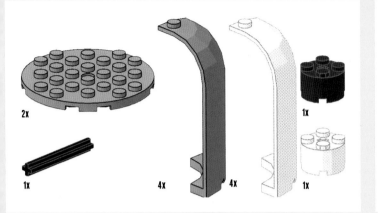

2x

1x

4x

4x

1x

1x

ANTIBIOTICA

Dit is best een bittere pil! Moderne medicijnen hebben de levens van miljoenen mensen over de hele wereld veranderd. Veel medicijnen kunnen worden toegediend in dit soort eenvoudige capsules, van een eenvoudig geneesmiddel voor hoofdpijn tot ingewikkelde levens- reddende behandelingen. Onthoud alleen dat je altijd de gebruiksaan- wijzing volgt, tot de kuur is afgelopen.

1

2

3

4

5

145

Het 100 jaar oude Panamakanaal wordt gezien als een van de indrukwekkendste bouwprojecten aller tijden. Het kanaal is 77 kilometer lang en verbindt de Atlantische Oceaan met de Stille Oceaan. Het beweegt enorme zeeschepen 26 meter naar boven en naar beneden. Omdat het de route van Azië naar de Amerikaanse oostkust verkort, is dit een belangrijke internationale zeeroute.

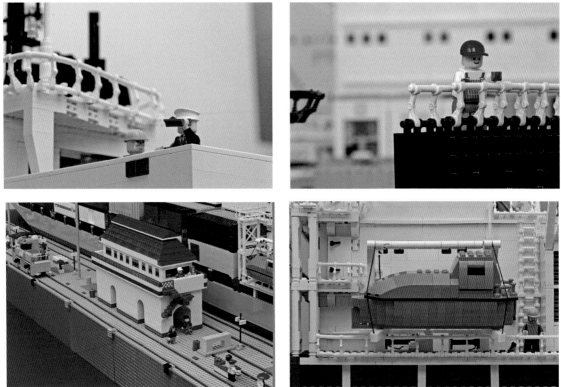

De bouw van het Panamakanaal begon aan het einde van de 17e eeuw, maar werd gehinderd door de lastige geografische omstandigheden. De erop volgende ontdekking van goud in Californië leidde tot de aanleg van de Panamaspoorweg en pas aan het begin van de 20e eeuw werd het kanaal voltooid.

SLEEPTREIN

De schepen in het Panamakanaal zijn zo groot en de sluizen zo smal dat er speciale maatregelen zijn getroffen om het verkeer letterlijk in goede banen te leiden. Deze speciaal gebouwde treinen leiden de trossen van de schepen als ze door het kanaal varen. De grootste schepen hebben acht van deze treinen nodig om hun zijwaartse beweging en het afremmen te sturen.

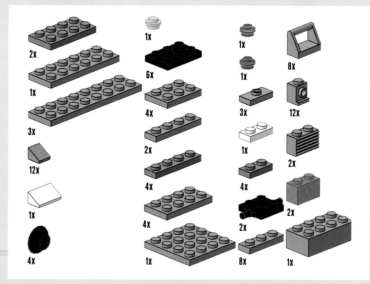

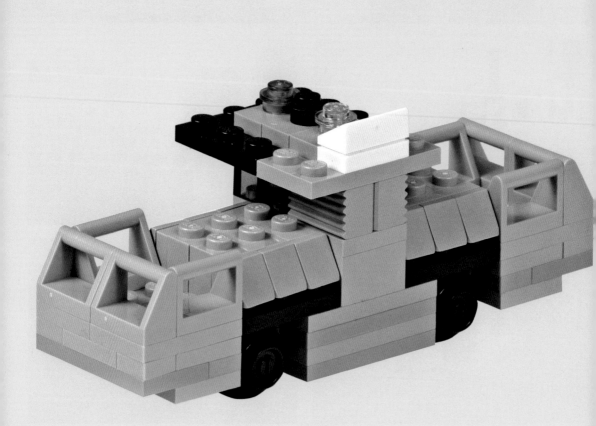

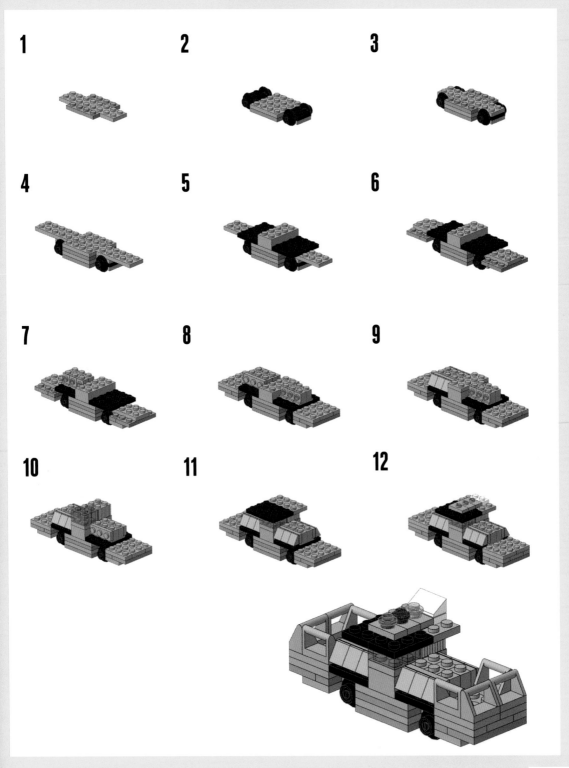

SCHEEPSCONTAINER

Scheepscontainers hebben het goederentransport en de handel in de hele wereld revolutionair veranderd. Naar schatting zijn er op dit moment zo'n 17 miljoen containers in omloop, die elk mogelijk product van de ene kant van de wereld naar de andere vervoeren. Dit model is een tankcontainer die gassen, vloeistoffen of poeders vervoert.

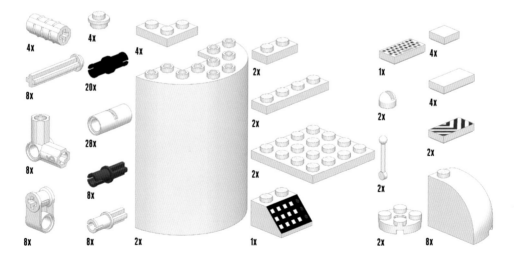

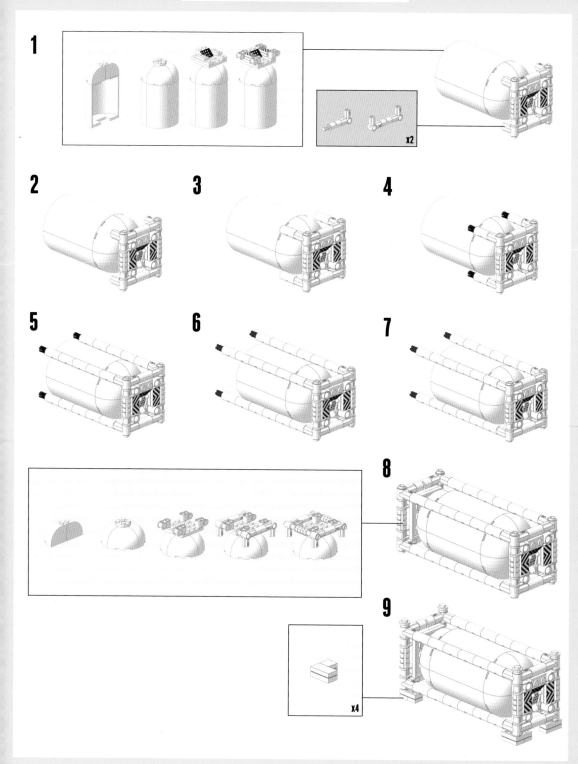

153

MOUNT RUSHMORE

Mount Rushmore National Memorial in de Black Hills van South Dakota bestaat uit de portretten van vier Amerikaanse presidenten uitgehakt in de rotsen. Ze werden gemaakt door de beeldhouwer Gutzon Borglum en kort na zijn dood in 1941 voltooid. Miljoenen mensen bezoeken jaarlijks Mount Rushmore en het nabijgelegen Crazy Horse Memorial.

Hoover Dam

De Hoover Dam werd net als Mount Rushmore voltooid in 1941. Dit moderne wereldwonder van het Amerikaanse westen is reusachtig. Het werd in vijf jaar tijd gebouwd en er werd meer dan 2,5 miljoen kubieke meter beton in de dam gestort. Dat is voldoende beton voor een tweebaansweg door de hele Verenigde Staten heen. Helaas stierven 112 mensen tijdens het bouwen van de Hoover Dam.

De Hoover Dam heeft twee functies. Niet alleen damt hij de enorme Colorado-rivier in, hij voorziet ook in de stroomvoorziening van grote delen van Las Vegas en Los Angeles. Hij genereert 2000 megawatt aan zuivere hydro-elektrische energie.

BATTERIJ

De Hoover Dam is niet de enige stroomvoorziening. De technologie die ten grondslag ligt aan bijna alle moderne apparatuur is de batterij. Hoewel je hier de herkenbare alkalinebatterijen ziet, worden in moderne gadgets oplaadbaar nikkelcadmium, nikkelmetaalhydride en lithiumbatterijen gebruikt. Door de groeiende populariteit van elektrische apparaten wordt voortdurend gewerkt aan de ontwikkeling van batterijen.

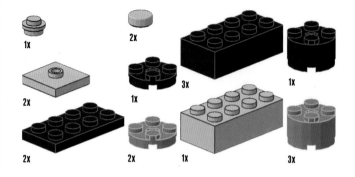

1   **2**   **3**

GLOEILAMP

De gloeilamp werd aan het begin van de 19e eeuw uitgevonden, al maakte Thomas Edison hem pas echt populair in 1879. In de eerste gloeilampen werd gecarboniseerd bamboe gebruikt als gloeidraad. Gloeilampen hadden een levensduur van 600 branduren. Nu verdwijnt de gloeilamp geleidelijk aan en wordt hij vervangen door de efficiëntere fluorescerende en ledlampen.

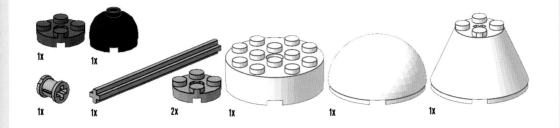

1x   1x

1x   1x   2x   1x   1x   1x

1

2

3

4

WINDTURBINE

Windmolens maken al eeuwen
deel uit van ons landschap, maar
pas recentelijk wordt de kracht van
de wind gebruikt om elektriciteit
te genereren. Ons model van
een windmolen genereert echter
helemaal geen stroom, maar
gebruikt een motortje om de
wieken te laten draaien.

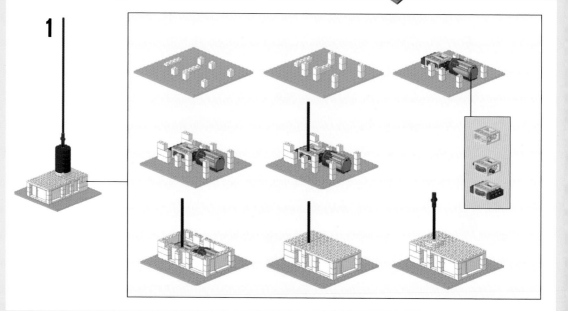

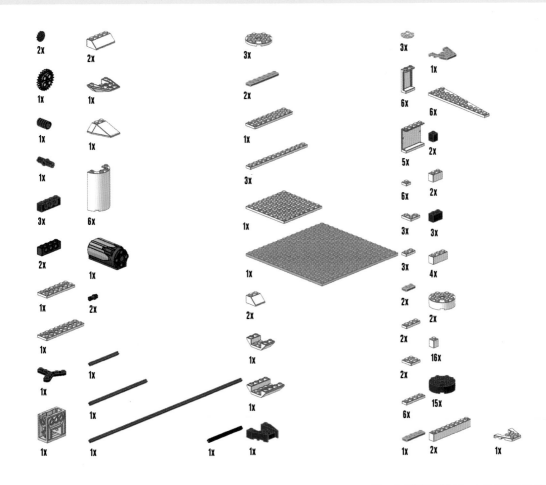

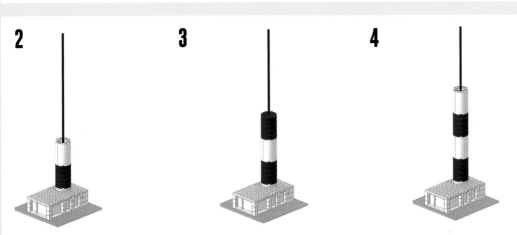

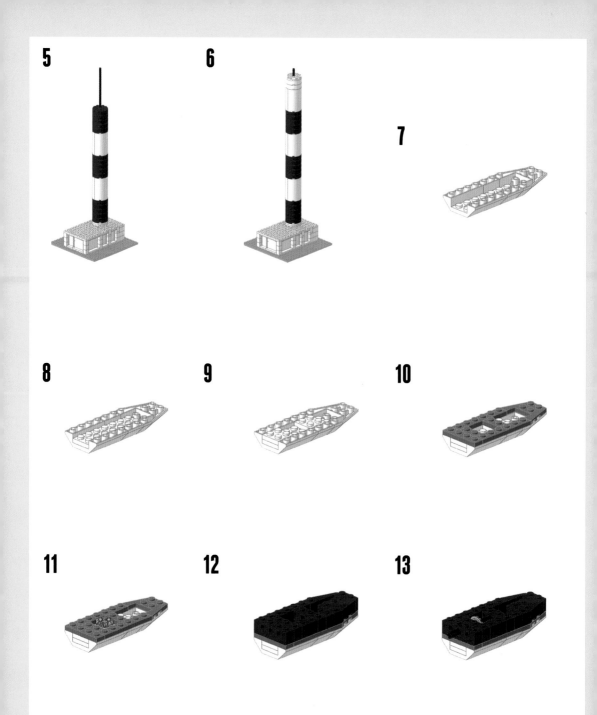

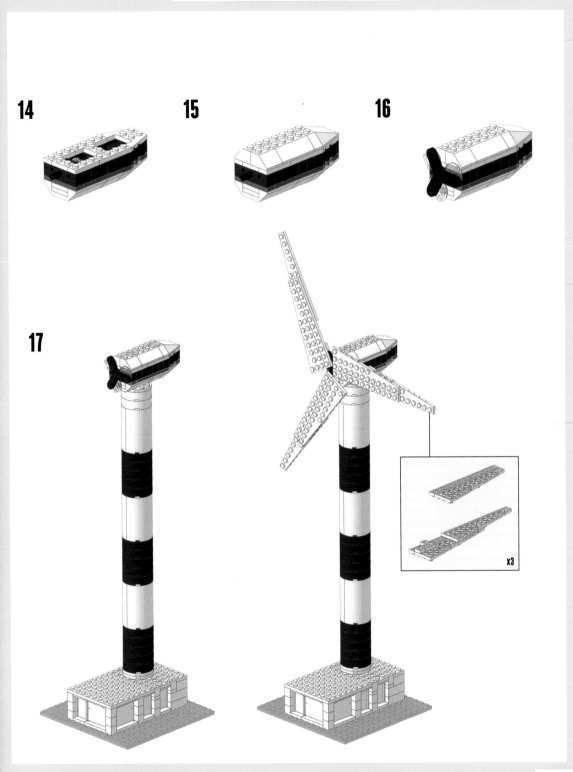

14

15

16

17

MODERNE COMMUNICATIE

Hoewel de drukkunst al in het jaar 600 werd uitgevonden in China, werd drukken pas betaalbaar nadat Johannes Gutenberg in 1450 de drukpers had uitgevonden. Elke letter (of groep van letters) werd in een metalen blok gegraveerd. Door deze blokken in de juiste volgorde te leggen, kon snel een hele bladzijde worden gezet en konden meerdere exemplaren worden gedrukt. De uitvinding van deze drukpers was een revolutionaire verbetering voor de verspreiding van kennis. Minder dan 50 jaar na Gutenbergs dood waren al een half miljoen boeken gedrukt.

Tv-camera

Als je weleens naar live-nieuws-uitzendingen hebt gekeken, is de kans groot dat het beeldmateriaal was gemaakt met een Electronic News Gathering (ENG)-camera als deze. Deze camera's zijn in de loop van de jaren steeds kleiner geworden, maar het schoudermodel is altijd populair gebleven. Hij is stabiel, goed vast te houden en niet te missen.

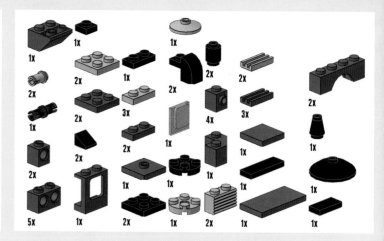

1

2

3

4

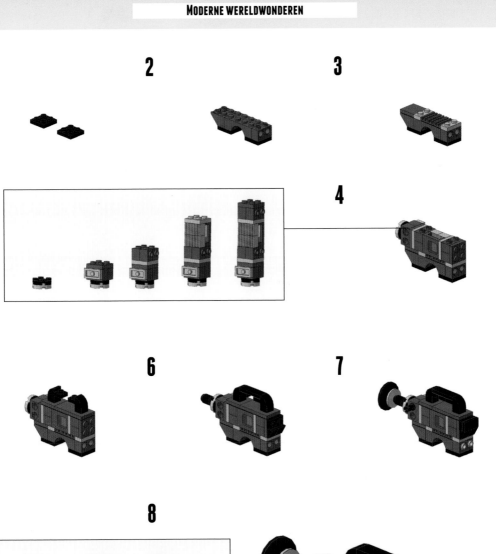

5

6

7

8

RADIO

Radio bestaat al meer dan honderd jaar. Deze radio werd beroemd omdat hij in de begintijd veel werd gebruikt door de British Broadcasting Corporation (BBC). Hoewel een moderne microfoon er heel anders uitziet, wordt dit beeld nog steeds gebruikt. Kijk maar eens naar het icoontje op je telefoon of laptop.

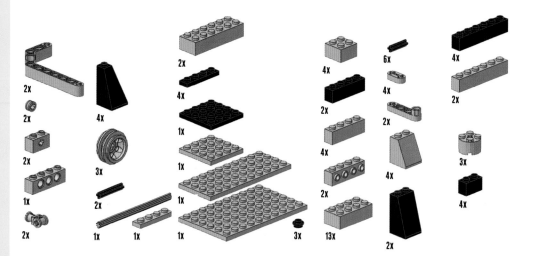

2x
2x
2x
1x
2x

4x
3x
2x
1x

2x

2x
4x
1x
1x
1x

1x
1x

3x

4x
4x
2x
4x
2x

6x
4x
2x

4x
4x
2x

4x
3x
4x

2x

13x

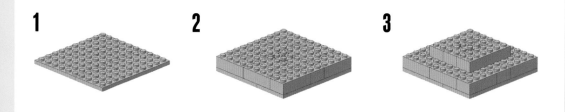

1

2

3

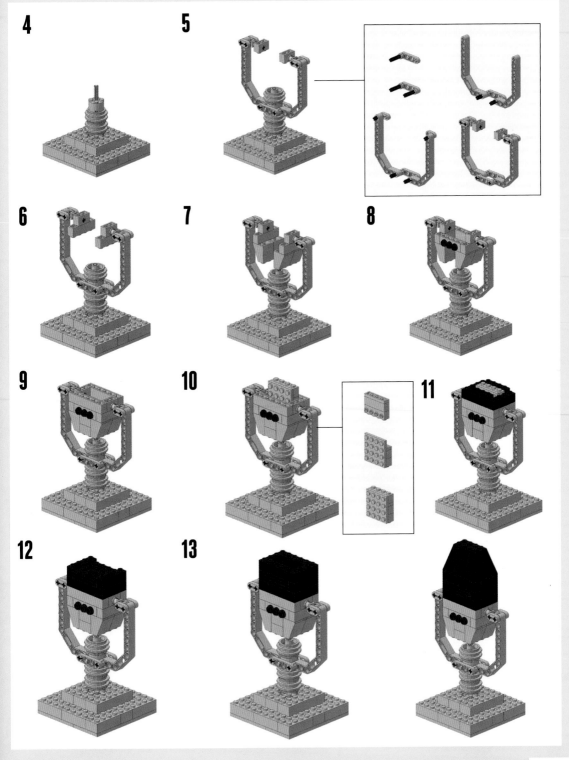

TRANSPORT

Een paar uitvindingen hebben de
wereld echt kleiner gemaakt. Een
daarvan is de moderne luchtvaart.
In minder dan honderd jaar heeft
een wereldwijde infrastructuur
van vliegtuigen en luchthavens ons
allemaal dichter bij elkaar gebracht.
Op elk moment van de dag zijn
tienduizenden vliegtuigen in de lucht
om zowel goederen als mensen
te vervoeren naar elk willekeurig
land in de wereld.

Grote luchthavens beslaan wel enkele vierkante kilometers, dus is ons legomodel gebaseerd op een klein stadsvliegveld. Zelfs op de schaal van de legofiguurtjes zou een grote luchthaven nog best een aardig oppervlak zijn.

VLIEGTUIGTRAP

Of ze nu gesierd worden door
koninklijke of gevierde beroemd-
heden, de vliegtuigtrap is een icoon
van vliegveldglamour. Leg de rode
loper maar uit voor je legovip!
De meeste moderne vliegvelden
gebruiken ze helemaal niet meer,
maar verder zijn ze overal nog te
vinden en geven ons luchthaven-
model een klassieke uitstraling.

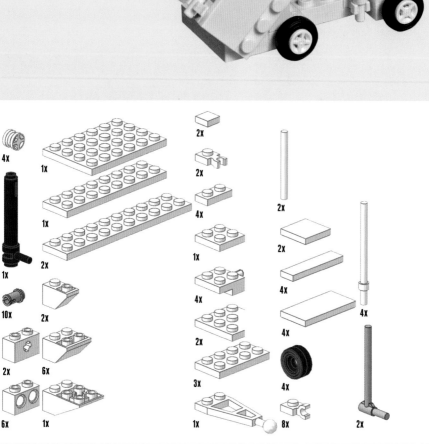

1

2

3

4

5

6

7

8

9

10

11

12

13

14

15

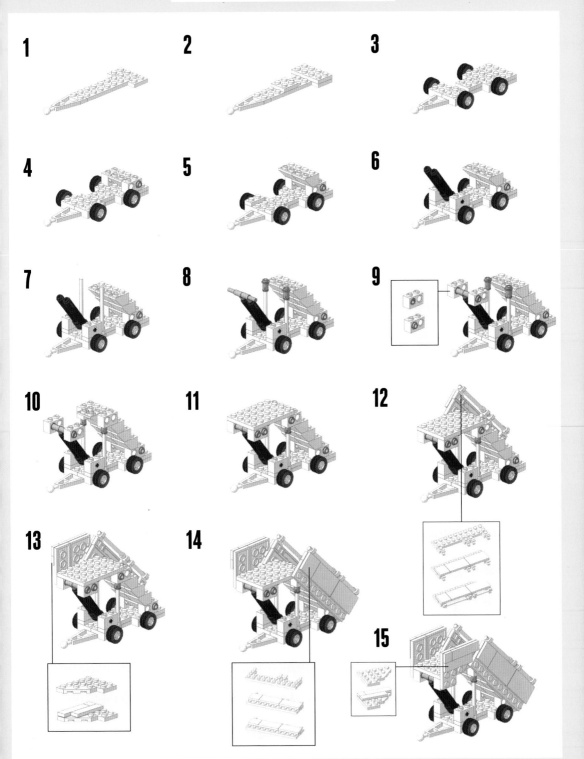

STOOMLOCOMOTIEF

De eerste volwaardige locomotief werd in 1804 gebouwd door Richard Trevithick en stoomtreinen bleven nog 150 jaar in zwang. Nu zijn de meeste treinen elektrisch of diesel aangedreven en een stoomtrein zie je niet meer zo vaak. Toch blijft de stoomtrein een iconisch beeld.

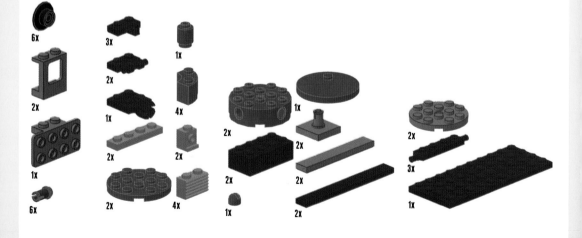

6x
3x
1x
2x
2x
1x
4x
2x
2x
2x
1x
2x
1x
2x
2x
2x
6x
2x
4x
1x
2x
2x
3x
1x

1

2

3

4

5

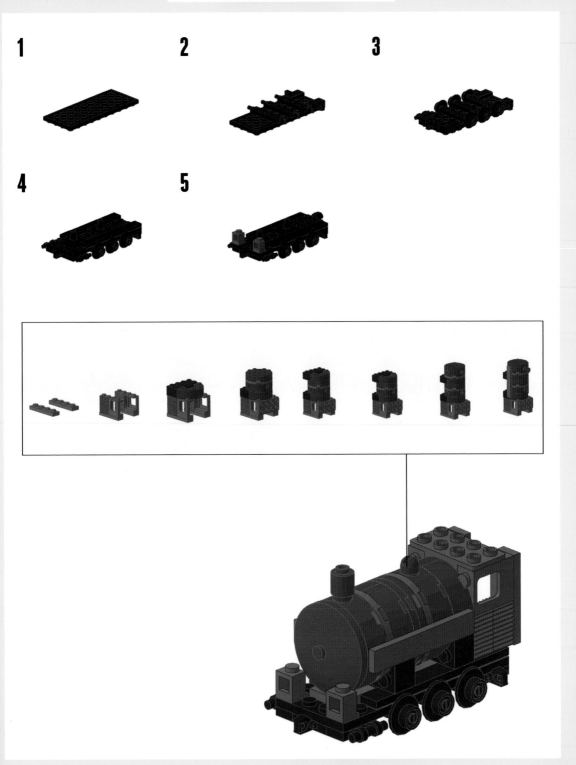

T-Ford

Het verhaal gaat dat Henry Ford zou hebben gezegd dat zijn auto's alle kleuren konden hebben, als het maar zwart was. Het originele T-model was echter in verschillende kleuren verkrijgbaar en de auto's zijn sindsdien in bijna elke kleur geschilderd. Ons legomodel is gebaseerd op een model uit 1927 dat nog steeds bestaat – het staat in het Henry Ford Museum in Detroit.

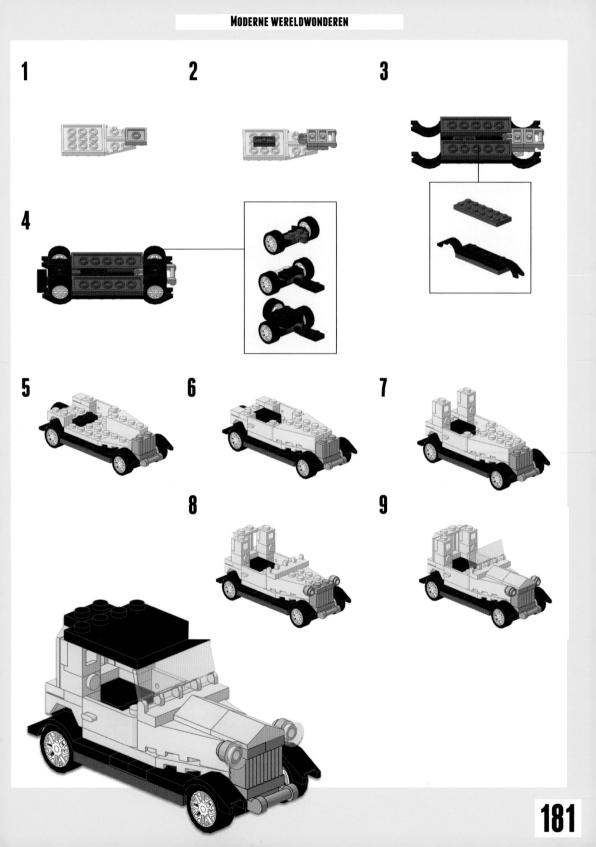

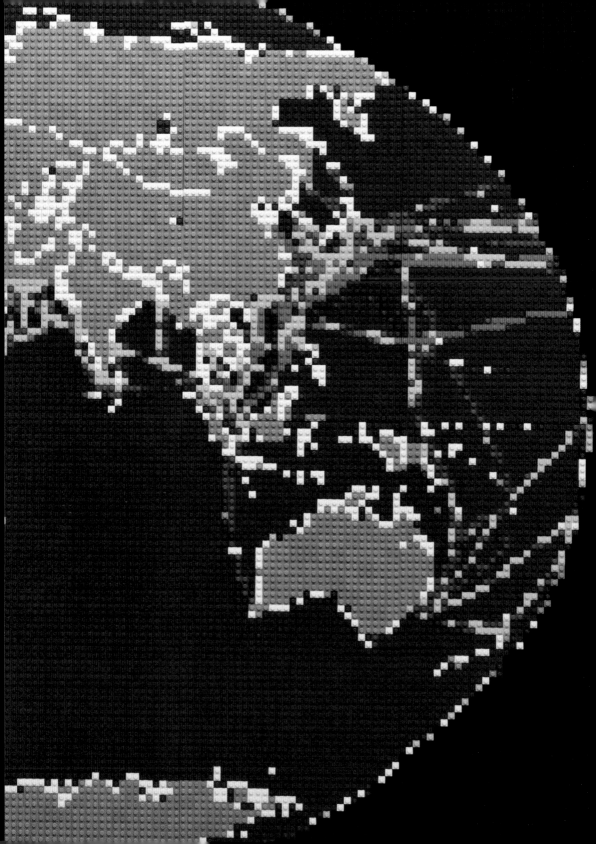

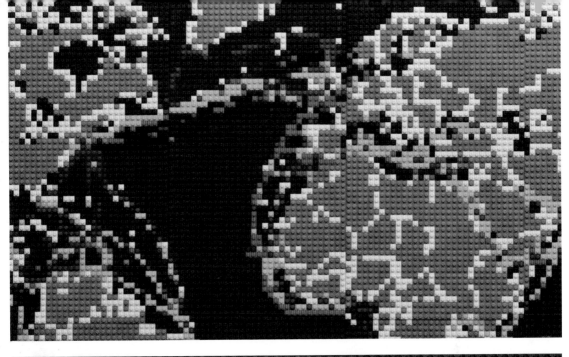

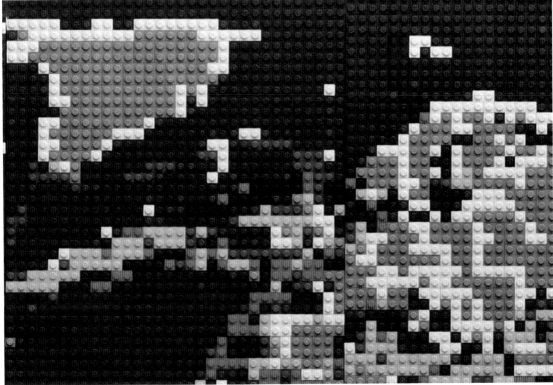

De snelste van deze internetkabels van glasvezel kunnen een film in HD-kwaliteit in drie honderdste van een seconde van de Verenigde Staten naar Groot-Brittannië overbrengen.

TABLET

Naar schatting heeft ruim één op de drie Nederlanders een tablet, dus deze tablet van LEGO® zal je bekend voorkomen. We hebben een paar voorgedrukte tegels gebruikt als apps op onze tablet, maar je kunt iedere tegel gebruiken die je in je verzameling hebt.

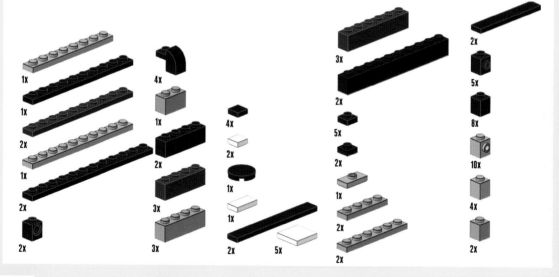

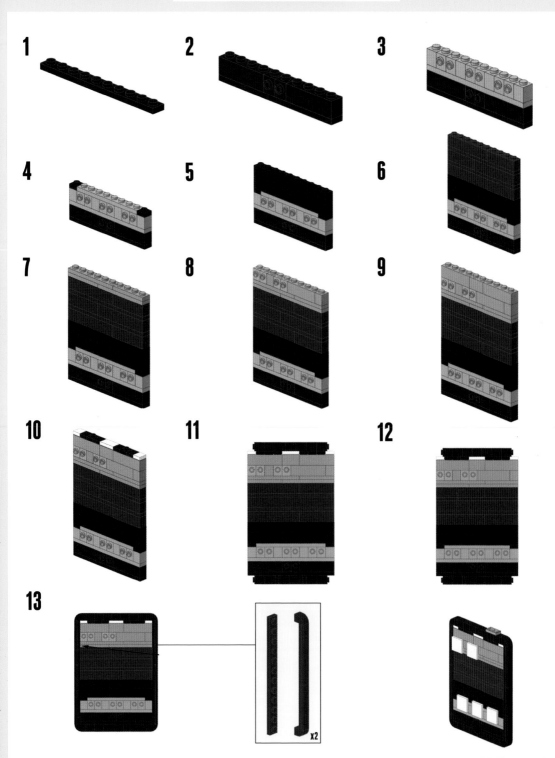

TWITTERVOGEL

Hoewel dit social-medialogo er eenvoudig uitziet, was het misschien wel het lastigste model van het hele boek om te maken. Om de gladde bogen en scherpe hoeken te maken, moesten niet alleen blokjes rechtop worden geplaatst, maar ook naar links, rechts en beneden wijzen.
Zie *www.warrenelsmore.com/ brickwonders* voor meer details.

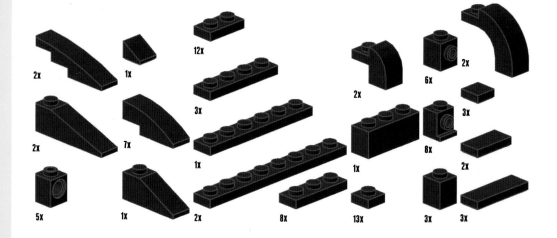

2x 1x 12x 2x 6x
2x 7x 3x 2x 3x
5x 1x 1x 1x 8x 2x
2x 8x 13x 3x 3x

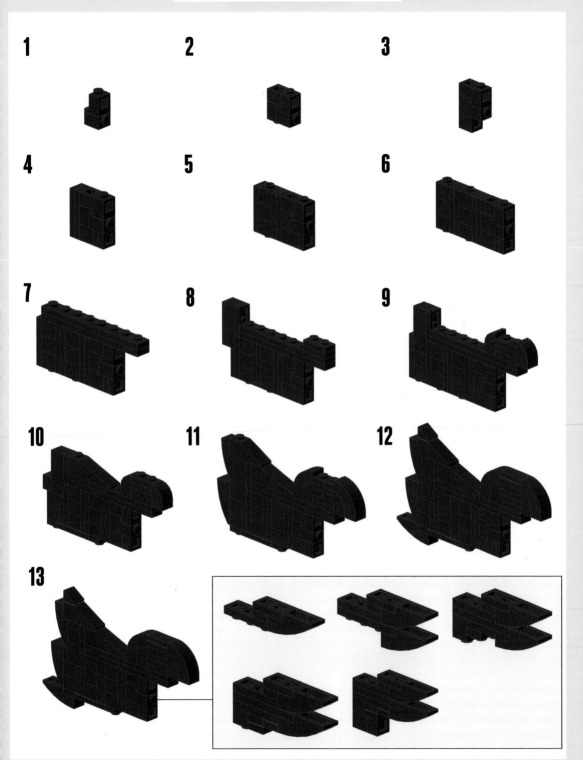

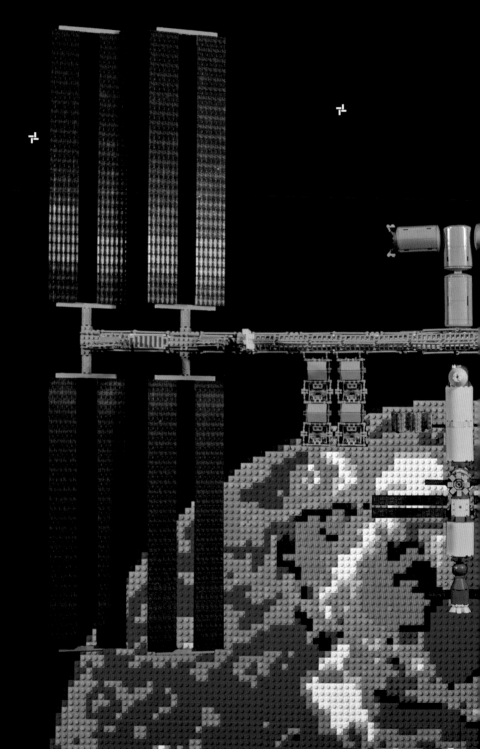

INTERNATIONAAL RUIMTESTATION

Het Internationaal Ruimtestation (ISS) is het meest permanente leefgebied in de ruimte en wordt al meer dan 13 jaar onafgebroken bewoond. Gebouwd door Amerikaanse, Russische, Japanse, Europese en Canadese ruimte-organisaties is het dus een echt internationaal samenwerkings-verband. De bouw heeft ruim 10 jaar geduurd en het station is 70 meter lang en 107 meter breed. Dat is enorm groot, maar slechts een klein deel ervan, ongeveer de omvang van drie bussen, bevat luchtdruk en biedt bemanningsleden de mogelijkheid te bewegen.

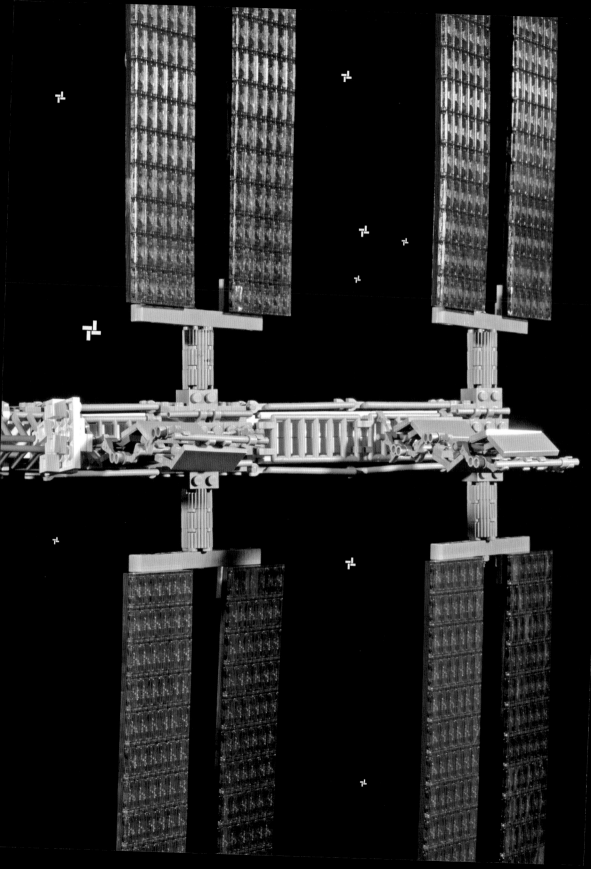

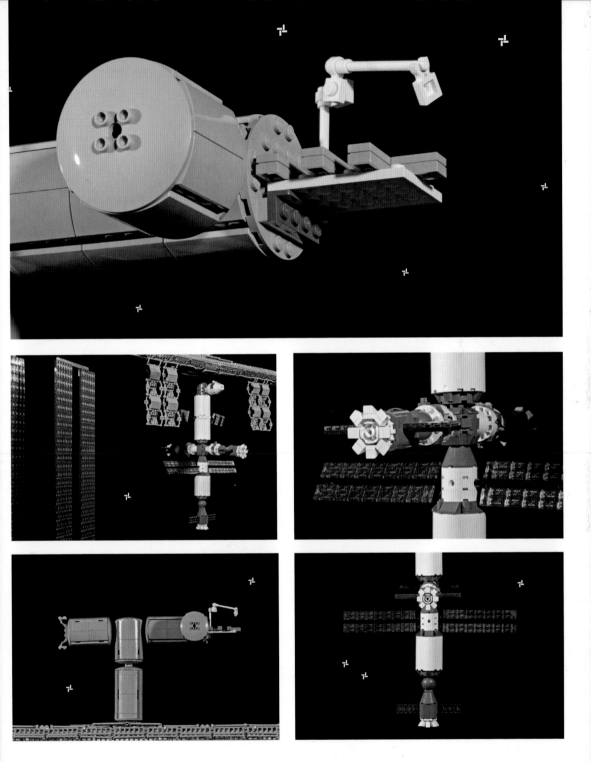

Omdat het ISS zich voortdurend ontwikkelt, laat ons model zien hoe het ruimtestation eruitzag toen dit boek werd uitgegeven, maar het zal in de loop van de tijd zeker nog veranderen.

SPACESHUTTLE

NASA's spaceshuttle is misschien wel het meest iconische ruimtevaartschip dat ooit is gebouwd. Hij heeft onder meer de Hubble-ruimtetelescoop naar de ruimte gebracht en is daarna weer naar de aarde teruggekeerd. Er zijn zes shuttles gebouwd, waarvan er nog vier over zijn – de Challenger en de Columbia zijn verloren gegaan. Deze ruimteschepen zijn ondergebracht in verschillende Amerikaanse musea.

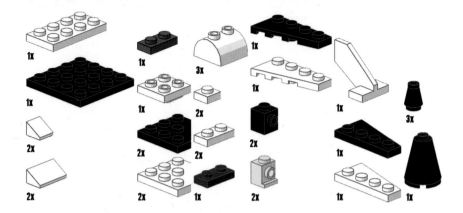

1x · 1x · 3x · 1x · 1x · 1x · 3x · 1x · 2x · 1x · 2x · 2x · 2x · 2x · 2x · 2x · 1x · 2x · 1x · 1x · 1x

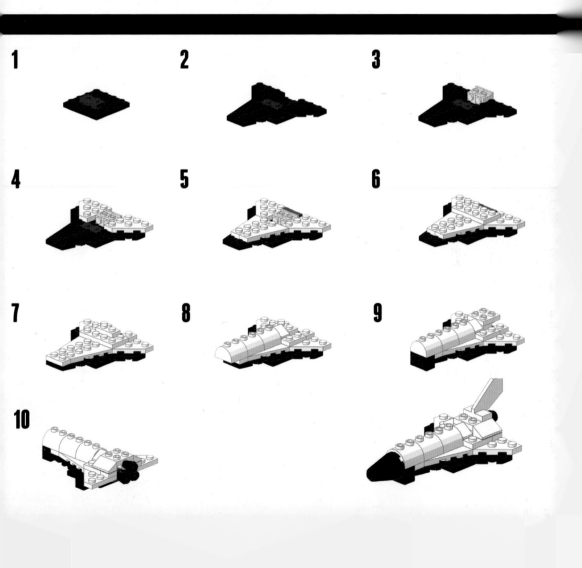

1

2

3

4

5

6

7

8

9

10

SOYOEZ-CAPSULE

De Soyoez-capsule werd in de jaren zestig ontworpen en is een van de oudste ontwerpen van een ruimtevaartuig. Hij wordt nog steeds gebruikt. Natuurlijk is de capsule sinds zijn eerste lancering aangepast aan de tijd. Het is nu het enige ruimteschip dat mannen en vrouwen naar het ISS brengt. Het is ook de 'reddingsloep' voor de astronauten en staat altijd klaar voor een snelle reis terug.

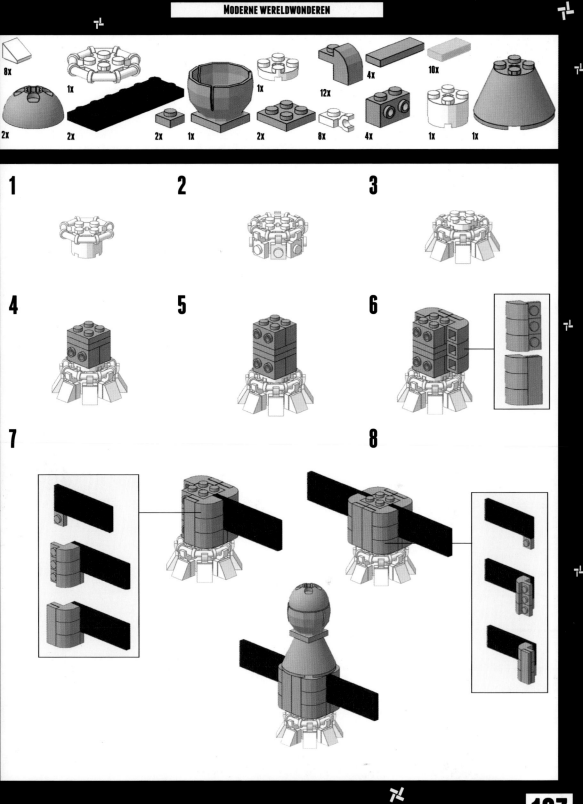

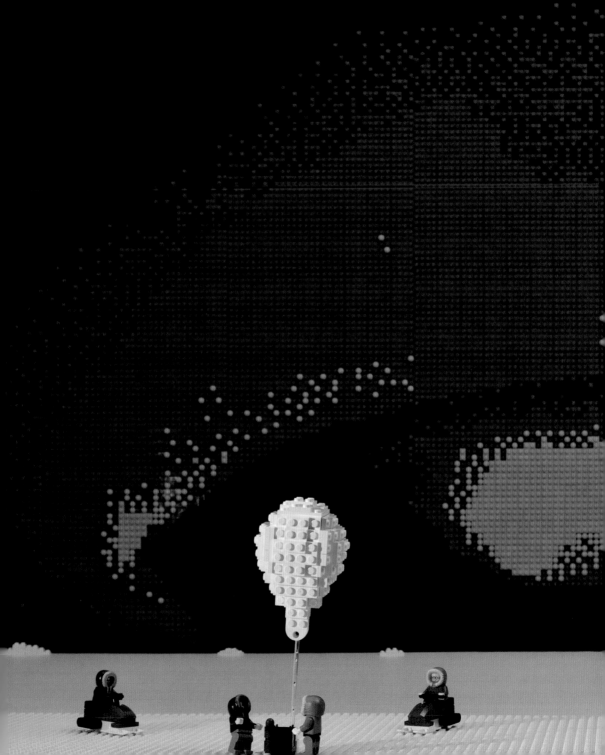

AURORA AUSTRALIS

Veel mensen hebben wel gehoord van de Aurora Borealis, een spectaculair spel van het noorderlicht. Wist je dat er rond de Zuidpool een vergelijkbaar fenomeen bestaat, Aurora Australis? Beide fenomenen vinden plaats als elektrisch geladen deeltjes de dampkring van de aarde raken, gestuurd door het magnetisch veld van onze planeet. In ons model hebben we een mozaïek van LEGO® gemaakt waarin we dit spektakel hebben geprobeerd weer te geven. We hebben hiervoor meer dan 90.000 onderdelen gebruikt.

Onze onverschrokken onderzoekers hebben onderzoeksstation British Halley VI verlaten om een weerballon op te laten. Ze zullen in deze bittere kou aan het werk moeten.

WEERBALLON

Deze legoweerballon is een geweldig voorbeeld van de SNOT-techniek van blz. 10. Om de ronde vorm te maken, zijn legoplaten in vijf verschillende richtingen geplaatst, niet alleen naar boven, maar ook naar links, rechts, voren en achteren. De dunnere platen creëren een veel gladder oppervlak dan mogelijk zou zijn met alleen steentjes.

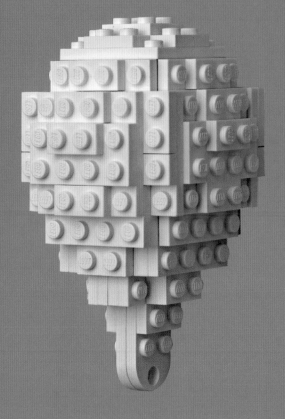

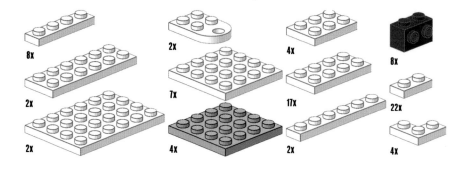

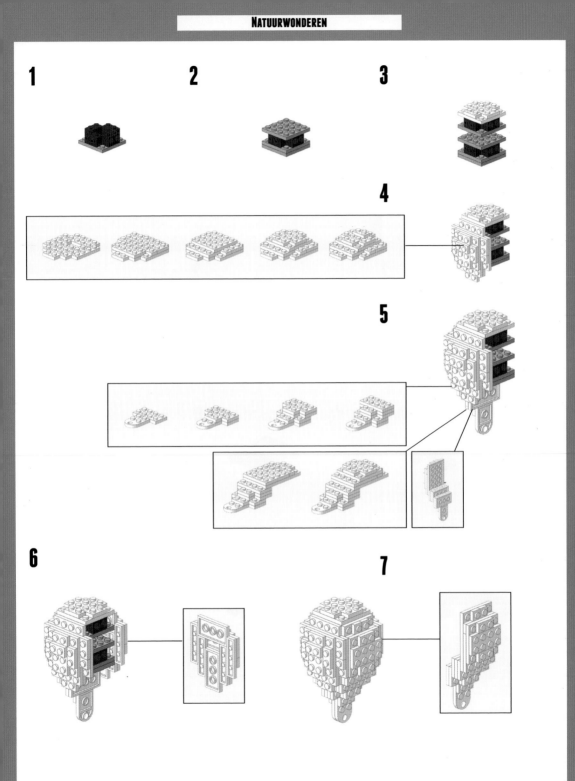

SNEEUWSCOOTER

Je kunt je op de Zuidpool niet beter voortbewegen dan op een sneeuwscooter. Deze voertuigen zijn bijzonder geschikt voor het bevroren landschap. Ze hebben aan de voorkant speciale ski's die richting geven en aan de achterkant rupsbanden voor grip op de sneeuw.

4x   1x   1x   2x

1x   2x   2x   1x

2x   1x   1x

1x   1x   1x   1x

1

2

3

4

5

6

7

8

9

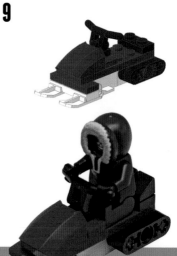

PINGUÏNS

Hoewel pinguïns altijd worden geassocieerd met de Zuidpool zijn er maar enkele soorten die zo zuidelijk leven. Deze pinguïns hebben geen last van de kou, aangezien ze van speciale legoblokjes gemaakt zijn. Net als de echte dieren staan deze pinguïns in een grote kolonie bij elkaar voor warmte en bescherming.

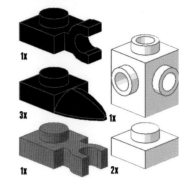

1

2

3

4

5

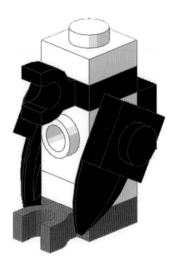

Het Great Barrier Reef in Australië
is uniek. Het is het grootste koraalrif
ter wereld en beslaat een gebied van
344.400 vierkante kilometer. Dat is
even groot als heel Groot-Brittannië.
Wat nog veel specialer is, is dat het
Great Barrier Reef leeft. Het bestaat
uit miljoenen afzonderlijke koraalpoliepen. Deze piepkleine dieren
leven in koloniën bij elkaar en vormen samen wat wij 'koraal' noemen.

Veel koraalpoliepen voeden zich met suikers geproduceerd door algen die in het koraal van het Great Barrier Reef leven. Het koraal wordt momenteel bedreigd door een combinatie van vervuiling, overbevissing en de opwarming van de aarde en er wordt onderzocht hoe het beschermd kan worden.

CLOWNVIS

De clownvis leeft tussen de tentakels van de giftige zeeanemoon, maar wordt niet gestoken. De dieren hebben elkaar nodig: de clownvis wordt door de anemoon beschermd, en de anemoon wordt schoon-gemaakt en ook beschermd door de clownvis. Het is een prachtig voorbeeld van symbiose.

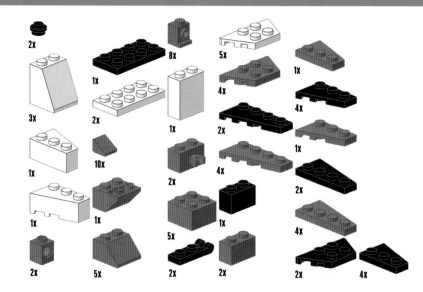

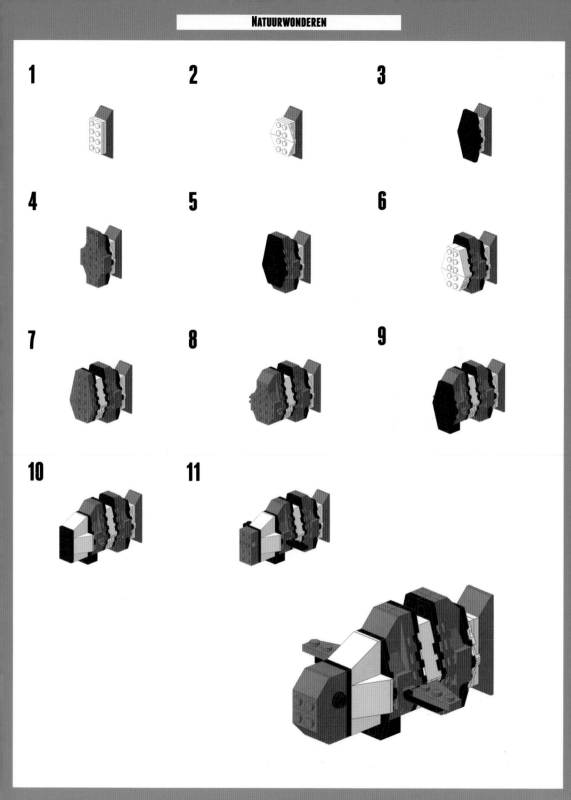

KORAALVLINDER

Koraalvlinders komen veel voor in de Atlantische, Stille en Indische Oceaan. Er zijn zelfs meer dan 120 soorten van. In het echt zijn ze 11 tot 18 centimeter; onze legovis is dus bijna levensgroot.

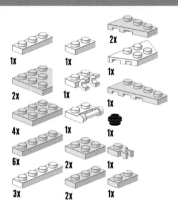

1

2

3

4

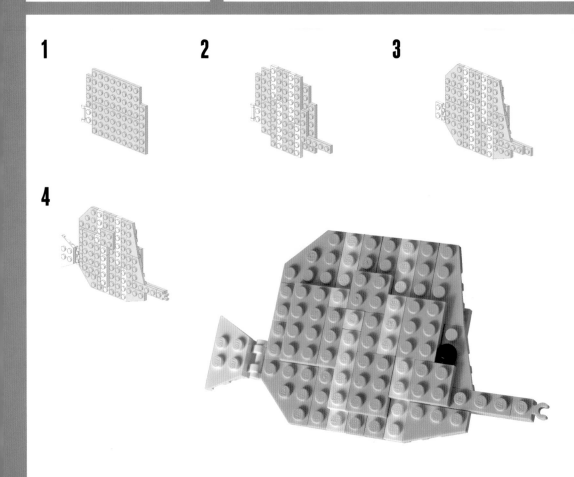

KORAAL

Het is helemaal niet zo moeilijk om koraal te maken van LEGO®. Elk van onze koraalsoorten is maar van een paar onderdelen gemaakt die steeds opnieuw herhaald worden. Dit weerspiegelt de honderden en duizenden afzonderlijke planten en dieren waaruit het koraalrif bestaat.

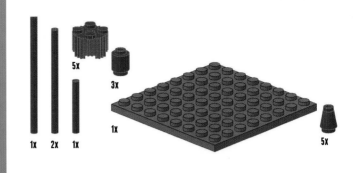

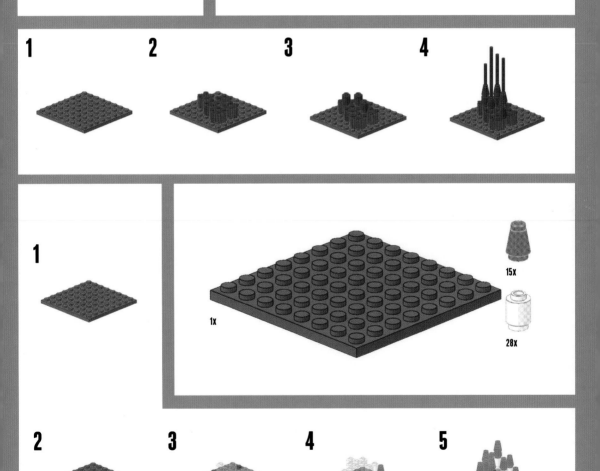

GRAND CANYON

De omvang van de Grand Canyon
is moeilijk te bevatten als je er nooit
geweest bent. Hij is ontstaan door
erosie van de Colorado-rivier en
is bijna 451 kilometer lang en op
sommige plaatsen wel 29 kilometer
breed. De diepte is nog indrukwekkender. Op sommige plaatsen is
de Canyon meer dan 1600 meter
diep. De Canyon heeft zich in de
loop van 17 miljoen jaar gevormd,
waarin de rivier de aarde heeft
uitgesleten.

Het weer kan enorm variëren in de Canyon. Er kan tussen de bovenrand en bodem een temperatuurverschil van wel 38 °C zijn als gevolg van het enorme verschil in hoogte.

HELIKOPTER

Het is heel populair om de Grand
Canyon vanuit een helikopter te
bekijken. Veel mensen vertrekken
dan vanuit het vier uur verderop
gelegen Las Vegas. Deze helikopters
zijn heel luxe en bieden de
passagiers een zo goed mogelijk
uitzicht op de canyon.

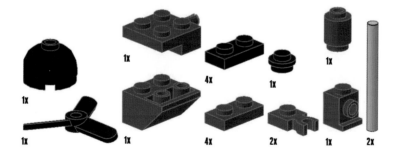

1x   1x   4x   1x   1x

1x   1x   4x   2x   1x   2x

1

2

3

4

5

6

7

8

9

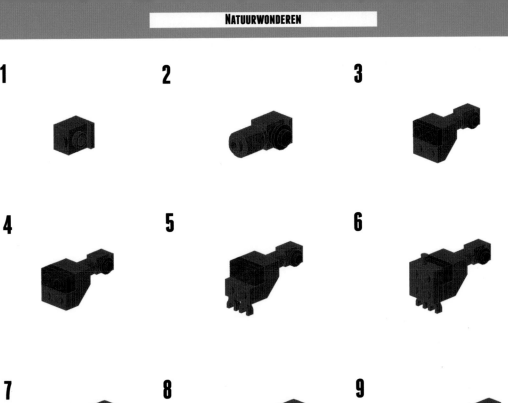

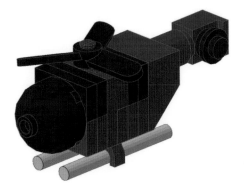

RAFT

Raften op de Colorado-rivier is een populair tijdverdrijf in de Grand Canyon door het unieke uitzicht vanaf het water. Het is ook erg leuk om te doen, al is de kans op een nat pak erg groot door de flinke stroomversnellingen.

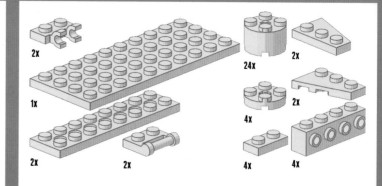

2x

1x

2x

2x

24x

2x

4x

4x

2x

4x

1

2

3

4

5

6

7

8

9

10

11

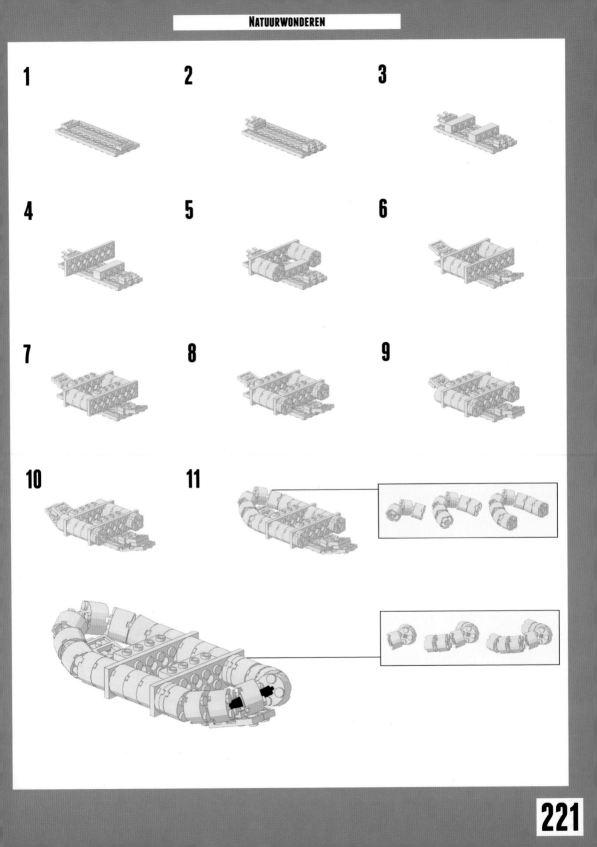

MATTERHORN

Met zijn 4478 meter is de
Matterhorn een van de hoogste
bergtoppen van de Alpen en door
zijn unieke vorm staat hij symbool
voor het hele gebied. De berg was
altijd al populair bij bergbeklimmers,
maar pas in 1865 werd voor het
eerst de top bereikt. Sindsdien zijn al
meer dan 500 mensen omgekomen
op de berg, wat maar weer laat zien
hoe moeilijk hij te beklimmen is.

De Matterhorn ligt in de Walliser Alpen, op de grens van Italië en Zwitserland. Als je de berg niet wilt beklimmen maar alleen bekijken, kun je met een kabelbaan naar een top op 3700 meter hoogte. Geen zorgen, we vertellen het niet verder!

MINI-MATTERHORN

Dit legomodel laat zien dat je soms
geen speciale onderdelen nodig hebt
of complexe technieken hoeft toe
te passen om iets met LEGO® te
bouwen. Deze mini-Matterhorn
is gemaakt met gewone steentjes,
platen en dakpannen. De typische
vorm van de berg is gemakkelijk na
te maken, zeker vanaf deze kant.

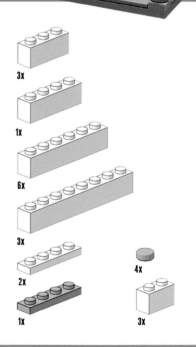

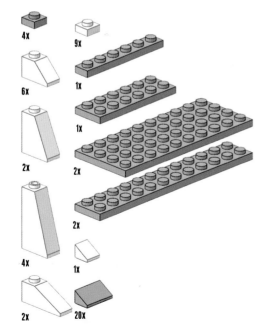

4x

9x

6x

1x

1x

2x

2x

4x

1x

2x

20x

3x

1x

6x

3x

2x

1x

4x

3x

1

2

3

4

5

6

7

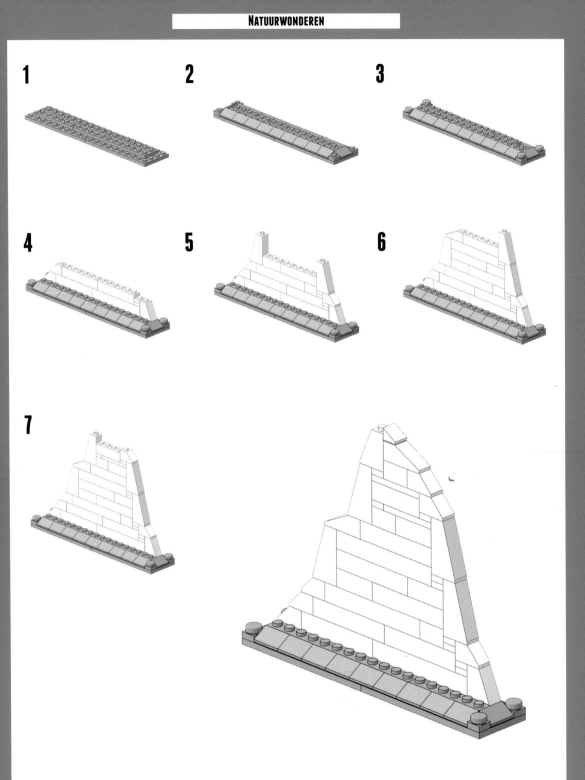

ZWITSERSE VLAG

Een vlag maken van LEGO® is niet zo heel moeilijk, vooral niet met zo'n eenvoudig ontwerp als de Zwitserse vlag. Door ronde en vierkante platen te gebruiken is het mogelijk om de vlag te laten buigen alsof de wind ermee speelt. Je kunt deze techniek toepassen voor allerlei gebogen oppervlakken met vierkante lego-blokjes.

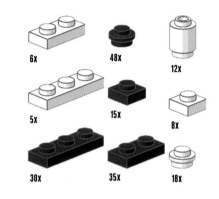

6x   48x   12x

5x   15x   8x

30x   35x   18x

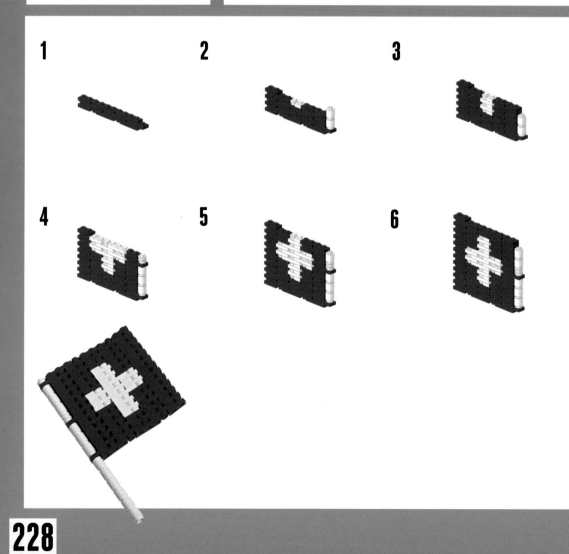

1

2

3

4

5

6

ZWITSERS ZAKMES

Wat is er nou meer Zwitsers dan een zakmes? Je kunt dit mes rustig op zak hebben want het is niet scherp genoeg om echt iets te beschadigen. En als je er meer functies op wilt hebben, doe je dat eenvoudig door meer legoblokjes toe te voegen.

1x 4x 1x 1x

1x 2x 1x 1x

1

2

3

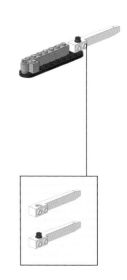

AFRIKAANSE SAVANNE

Savannes beslaan ongeveer
20 procent van het land op aarde
en zijn op tal van continenten te
vinden. Dit model toont de unieke
biodiversiteit van Afrika. Hoewel
het niet gebruikelijk is om olifanten,
giraffes, apen, struisvogels en
krokodillen tegelijk te zien, zorgt het
wel voor een mooi fotomoment.

De dieren die we hier hebben gebruikt, zijn bijna allemaal van LEGO® Duplo – geschikt voor jongere kinderen. Hun grotere formaat past perfect bij de toeristen en ze zijn natuurlijk ook schattig.

FOURWHEELDRIVE

Als je door de wildernis trekt, heb je een sterke auto nodig. Deze offroad-fourwheeldrive heeft grote wielen om mee over ruw terrein te rijden en genoeg plek voor alle avonturiers. Maar, veiligheid staat voorop – en dus zit er een groot reservewiel op de motorkap. Voor het geval dat…

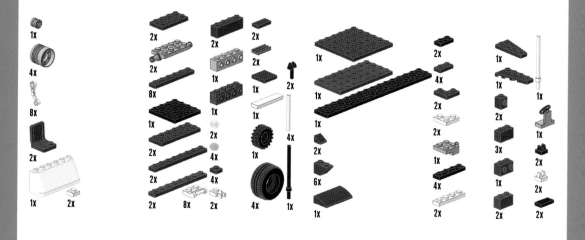

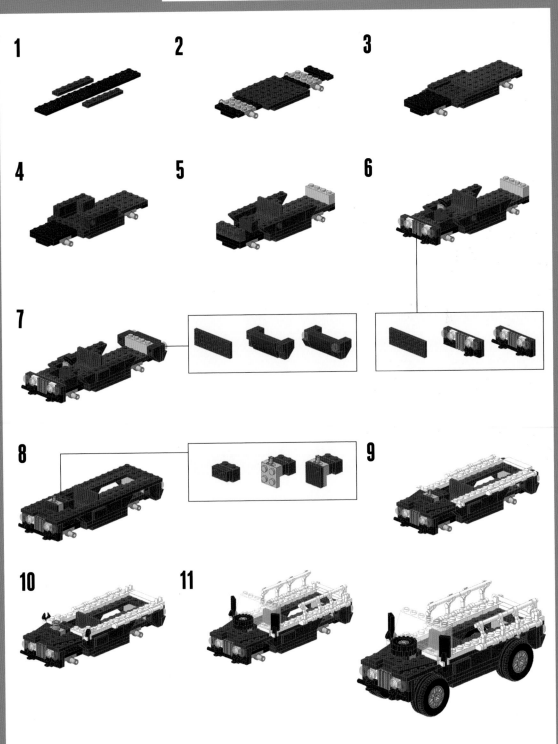

LUCHTBALLONMAND

Je kunt de vlaktes van de savanne niet beter bekijken dan vanuit een luchtballon. Echte luchtballonnen zweven omdat de hete lucht in de ballon lichter is dan de lucht erbuiten. Onze legoballon weegt echter 2,5 kilogram; geen enkele reden om te denken dat hij er met de passagiers vandoor gaat.

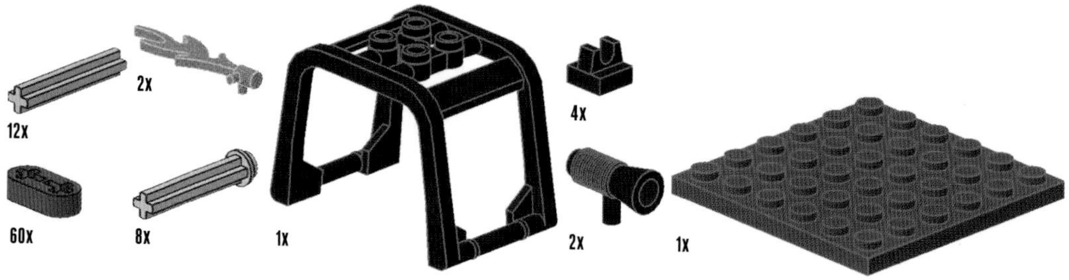

12x

2x

60x

8x

1x

4x

2x

1x

1

2

3

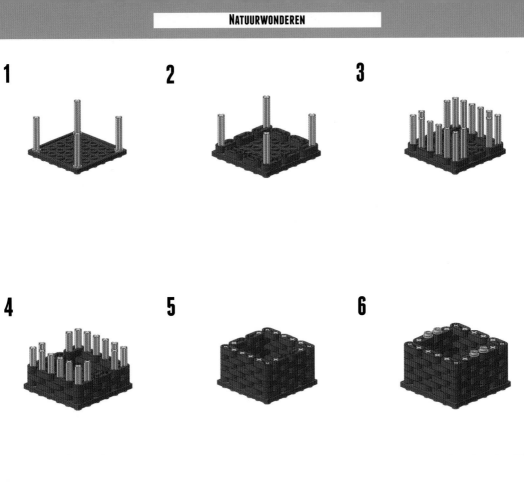

4

5

6

7

8

9

HA LONG-BAAI

Misschien zegt de naam je in eerste instantie niet zoveel, maar de Ha Long-baai was de achtergrond van talloze films. Hij bestaat uit bijna 2000 afzonderlijke kalkstenen eilandjes, waarvan er veel hol zijn en enorme grotten bevatten. Elk eiland is begroeid met een dicht oerwoud en kent tal van unieke diersoorten.

De Ha Long-baai werd in 1994 op de Werelderfgoedlijst geplaatst, om het unieke landschap te beschermen. Het gebied is de grootste toeristische trekpleister van Vietnam en er komen jaarlijks meer dan een miljoen bezoekers.

VIETNAMESE BOOT

Longboats zijn populair in heel
Zuidoost-Azië. In plaats van een
normale scheepsmotor gebruiken
ze automotoren die verbonden zijn
met lange propellerstangen. Deze
lange stangen maken het mogelijk
de motor op grote afstand van
het water te houden, waardoor
hij droog blijft.

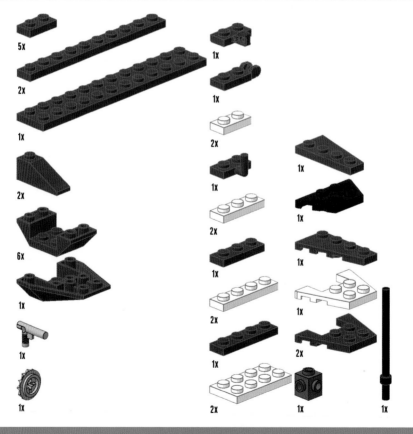

1

2

3

4

5

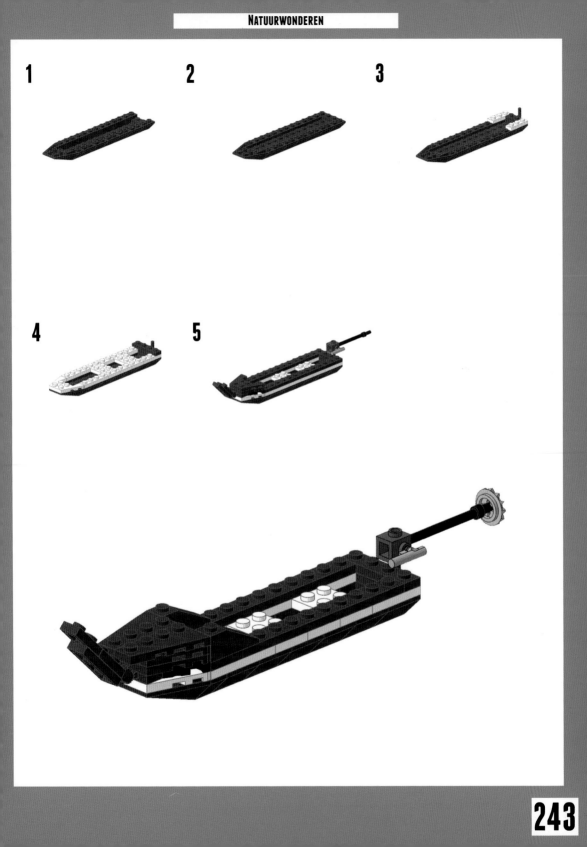

Ha Long-baaieiland

Waarom zou je thuis niet je eigen filmdecor bouwen? Dit is een van de eilanden van het model. Omdat ze allemaal los van elkaar staan, is het eenvoudig om ze langzaam op te bouwen. Tenzij je de héle baai wilt namaken – dan heb je er duizenden nodig.

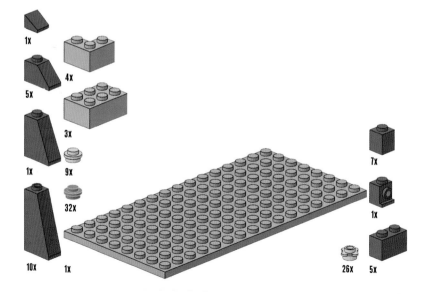

1x
5x
1x
10x
4x
3x
9x
32x
1x
7x
1x
26x
5x

1

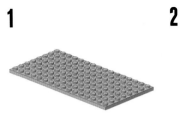

2

3

4

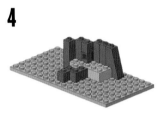

5

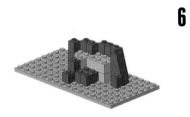

6

7

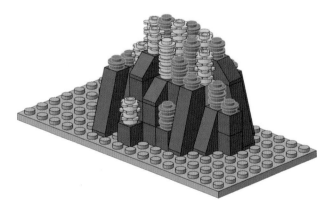

NIAGARAWATERVALLEN

De Niagarawatervallen bestaan uit drie watervallen op de grens van Canada en de Verenigde Staten die zich langzaamaan terugtrekken naarmate de onderliggende rotsen verder eroderen. Elk jaar bewegen de watervallen ongeveer 30 centimeter in de richting van Lake Erie, van waaruit zij hun water krijgen. De Bridal Veil, American en Horseshoe Falls worden gescheiden door twee kleine eilanden en dragen samen de hoogste waterstroom in een waterval ter wereld.

De watervallen laten meer dan 113.000 kubieke meter water per minuut vallen over een hoogte van 50 meter. Daarmee kun je 45 olympische zwembaden vullen.

MAID OF THE MIST

Een van de *Maids of the mist* vaart al meer dan 70 jaar toeristen naar de watervallen. De recentste aanwinst is de *Maid of the Mist VII*, in 1997 aan de vloot toegevoegd. Dit is het model waarop onze boot is gebaseerd.

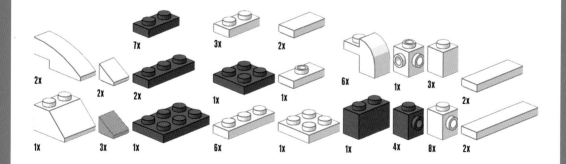

1

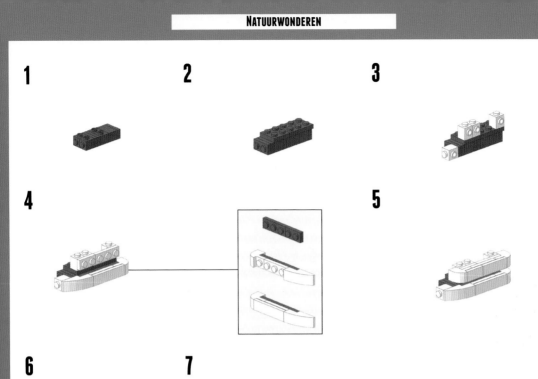

2

3

4

5

6

7

8

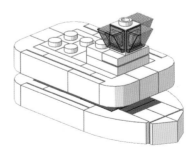

VAREN IN EEN TON

Wist je dat minstens 23 mensen in de afgelopen 100 jaar van de watervallen af zijn gegaan? Annie Edson Taylor gebruikte in 1901 een ton om op haar 63e verjaardag van de watervallen te springen, nu wordt een modernere uitrusting gebruikt. Probeer het zelf maar niet, want het is zowel in de Verenigde Staten als Canada illegaal.

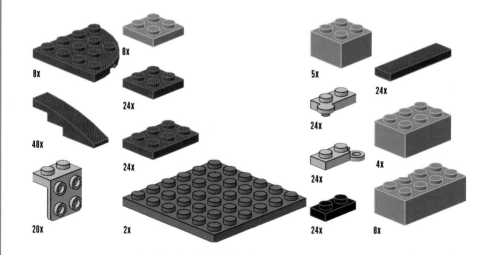

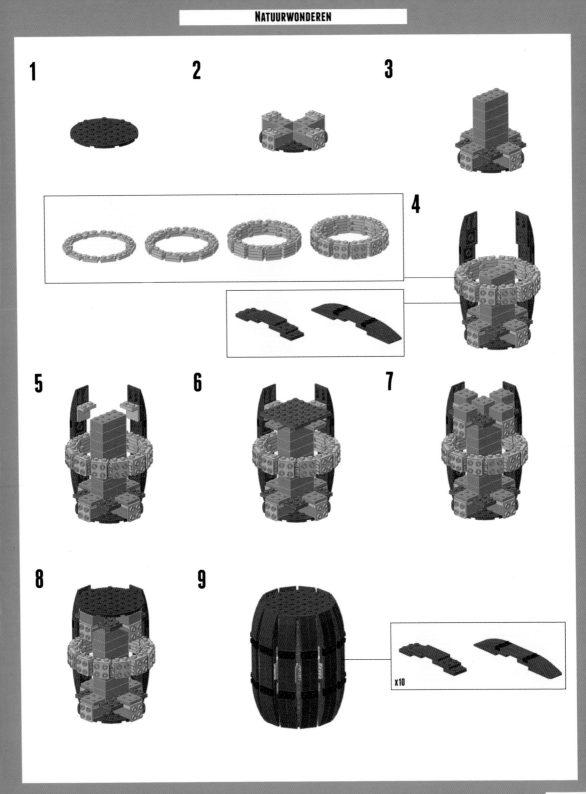

1

2

3

4

5

6

7

8

9

x10

Register

VERANTWOORDING EN BRONNEN

Kirsten Bedigan is klassiek archeologe en historica van de klassieke oudheid uit Edinburgh in Schotland. Ze leerde LEGO® als kind kennen en is er altijd mee blijven spelen.

Teresa 'Kitty' Elsmore was als kind al legofan en vindt het nog steeds leuk om legomodellen te maken. Ze houdt het meest van organische vormen, zoals de bomen en tuinen in dit boek. Een voorbeeld van Teresa's werk is het Great Barrier Reef op blz. 206, waarin de kleuren en texturen van de oceaan duidelijk zijn weergegeven. Sinds hun huwelijk in 2005 hebben Teresa en Warren aan tal van projecten samengewerkt en ze is verantwoordelijk voor veel van de minifigs die de modellen, zoals de luchthaven, tot leven wekken. Ze is ook betrokken geweest bij een aantal grote projecten in dit boek met haar inspiratie en door tienduizenden blokjes te plaatsen.

Warren Elsmore is een legokunstenaar en al zijn hele leven fan van LEGO. Hij woont in Edinburgh, Schotland. Hij is al sinds zijn vierde verliefd op de kleine plastic steentjes en is nu intensief betrokken bij de legofancommunity. Sinds hij op zijn 24e zijn liefde voor LEGO herontdekte, is hij er voortdurend mee bezig. Na een succesvolle carrière in de IT besloot hij in 2012 fulltime met LEGO te gaan werken en hij helpt nu tal van bedrijven met het realiseren van hun dromen in plastic.

Warrens eerste boek, *Steden van steentjes*, werd wereldwijd geprezen en sindsdien reizen de modellen uit het boek naar musea en galeries in heel Groot-Brittannië. Daarnaast organiseert Warren het hele jaar door tal van LEGO-events. Je kunt meer lezen over Warren en zijn meesterwerken van LEGO op *warrenelsmore.com*.

Arthur Gugick is een wiskundedocent op de middelbare school in Cleveland, Ohio. Hij is geboren en getogen in New York en al meer dan veertig jaar legofan. Kijk voor meer van zijn ontwerpen op *gugick.com*.

Simon Kennedy woont in Edinburgh, Schotland, en studeert theologie. Hij houdt al zijn hele leven van LEGO en heeft een voorliefde voor het bouwen van gebouwen en treinen.

Steven Locke komt uit een familie van generaties van diepzeeduikers in Peterhead, Schotland. Hij is al vanaf zijn vierde legofan en is altijd blijven bouwen. Stevens legomodellen zijn meestal geïnspireerd op de ruimtevaart en sciencefiction.

Nathan Sawaya is een kunstenaar uit New York die waanzinnige kunst maakt van onwaarschijnlijke materialen. In zijn recente tentoonstellingen speelt LEGO de hoofdrol. Sawaya is autonoom kunstenaar en werkt in opdracht. Hij exposeert in galeries in New York, Miami en Maui. Sawaya's kunst bestaat hoofdzakelijk uit in 3D geprinte sculpturen en meer dan levensgrote portretten. Hij ontwerpt dagelijks en krijgt opdrachten uit de hele wereld.

ONLINE STEENTJES KOPEN

Als je niet alle benodigde onderdelen hebt voor de modellen in dit boek of niet helemaal goed kunt zien welke blokjes ik heb gebruikt, dan vind je complete lijsten van de onderdelen die je per project nodig hebt op mijn website *warrenelsmore.com*.

Als je slechts enkele onderdelen nodig hebt, adviseer ik je om de complete lijst te gebruiken en de steentjes (of de hoeveelheden ervan) over te slaan die je al hebt. Je koopt dan alleen die blokjes die je nodig hebt. Al geeft het natuurlijk niet als je wat extra hebt.